로 투 스(하)

로투스(하)

발행일 | 2024년 7월 7일

지은이 | 황태연

발행처 | 부크크

출판사 등록 | 2014.07.15(제2014-16호)

주 소 | 서울특별시 금천구 가산디지털1로 119

전 화 | 1670-8316

이메일 | info@bookk.co.kr

ISBN | 979-11-410-9234-4

로투스

(하)

황태연 지음

목차(Table of Contents)

"이 책을 전 세계 친구들에게 바칩니다."

제6장 아일랜드

〈우회〉

아일랜드 캐리주, 파란포(Farranfore)에 자리 잡은 케리 공항에서 연이 질문에 답변 중이다, "난 여기 학교 때문에 왔고 내일 떠날 예정입니다." – "왜 그렇게 짧게 머물러요?" 바로 떠난다는 그의 말에 아일랜드 입국 심사대 직원이 오히려 당황해, 영어에 능통한 연조차 전부 알아듣지 못할 정도의 독특한 아일랜드 악센트(accent)로 빨리 말했다.

"제발, 천천히 그리고 정확하게 말씀해 주세요." 연의 말에 그 남성 아일랜드 관공리는 품 안에서 쪽지를 꺼내더니 무언가를 메모(memo)하여 연에게 건넨다, "거기 가 보세요, 당신에게 확실히 도움이 될 겁니다." 연은 그의 친절함에 감사하였고 미소를

6

지으며 심사대를 통과하였다. 그가 준 메모에는 "가르다 이민국 (Garda National Immigration Bureau)"이라고 적혀 있었다. 연은 자판기(自販機)에서 2유로짜리 탄산음료를 마시며 심호흡(深呼吸)하였다.

적적(寂寂)한 공간이 눈에 확 들어온다. 공항의 측면에는 간이식당인 스낵-바(snack bar)가 있는데 점심시간임에도 사람들이 드문드문해 한산했다. 가는 경로인 코크(Cork)시 근처 블라니 (Blarney)에 중세 시대 성인 블라니성(Blarney Castle)이 있어 연은 문득 한 번 들러 볼까 하는 생각이 들었으나 곧 마음을 다잡았다, "여기에 관광하러 오지 않았잖아. 굳이 지금 그곳에 갈 필요는 없어. 내가 이곳에서 살아남는다면 앞으로 갈 기회는 많아." 더구나 연은 많은 사람들이 소변본 듯한 자리에 오줌 받아먹는 자세로 키스하고 싶지는 않았다. 뭐, 여유가 된다면 용기내 볼 수는 있겠지만 당시 그에게는 엉덩이에 키스하는 짓만큼 거부감이 들었다. [i]"나불나불 돌(Blarney Stone)"이란, 그 글자 그대로 그 돌에 키스하면 그 사람은 알랑방귀를 잘 뀌게 된다. 그러나 연이 원한 능력은 정확한 듣기지, 아첨이 아니었다. 만일 이 세상에 전 세계 모든 언어를 들을 수 있게 해 주는 "바빌론 스톤(Babylon Stone)"이란 돌이 있다면 어떻게 되든 무작정 가 보았을 터이다. 그런 생각을 하며, 그는 버스 정거장으로 갔다.

공항 건물 밖에는 에어런-버스(Bus Eireann) 정류소가 있는데 그곳 벤치에 헝클어진 머리를 한 10대 후반의 소녀가 꾀죄죄한 옷을 입은 채 앉아 있었다.

"안녕!" – "안녕!" "너 아일랜드 사람이야?" 소녀는 표정의 변화 없이 대답했다, "응."

– "사실 난 일거리를 찾아 여기에 살려고 왔어."

"몇 가지 알려 줄게. 네가 유럽에서 직업을 찾는다면 첫째로 CV를 작성해야 하고, 둘째, 구직하려면 넌 진지하게 집집마다 돌아다녀야 해." – "CV? CV가 뭔데?" "태어나서 지금까지 교육 등 이수(履修)한 과정이야." – "아! 알겠어. 이력을 말하는구나? 이력서!" 아일랜드 소녀는 손뼉을 마주쳤다, "바로 그거야!" 보통 북미에서 사람들은 그걸 'résumé'라고 부르고, 반면에 영국을 포함한 유럽에서는 'curriculum vitae', 줄여서 'C.V.'라고 한다.

그녀와 대화를 나누는 사이 버스가 공항에 진입했고 그들은 함께 탑승했다. 에어런버스의 로고는 붉은 아이리시 세터(Irish setter)인데, 아일랜드 토종 사냥개다. 버스 좌석 3분의 2가 공석임에도 연은 그녀와 대화를 좀 더 계속할 작정이다, "옆에 앉아도 되니?" 그녀는 잠시 주저했지만 이내 동의했다, "응, 맘대로!"

연은 시간이 허락하는 한 그녀에게 아일랜드에 대해 좀 더 물어보려 했다. 그러나 막상 그녀 옆에 앉으니, 그의 계획이 명확히 결정되지 않은 상태라 특별히 물어볼 거리가 마땅치 않았다. 게다가 그녀의 누추한 옷차림, 꾀죄죄한 외모와 공허한 표정에서 아일랜드 특유의 인고(忍苦)가 풍겼고, 그건 그의 아일랜드에 대한 궁금증을 [ii]일소(一掃)하기에 충분했다.

한산한 버스는 침묵 속에 더블린으로 달리고 있다. 첫 중간역에서 아일랜드 소녀가 내리더니 떠나 버렸다. 터미널(terminal) 화장실로 향하는 중에 연은 때가 묻어 더러워진 얼굴을 한 청소년들이 근처를 배회하고 있는 모습을 보았다. '참으로 단정치 못하고 초라해 보이는구나!' 연은 그들이 딱해 보였다. 그는 그들에게서 자신을 떠올렸는지도 모른다.

연이 다시 탑승했을 즈음에 그는 버스에 남은 유일한 사람이 되었다. 그때 버스 운전수(運轉手)가 뒤를 돌아보더니 부잣집 도련님처럼 차려입은 연에게 익살을 부리며 농담하기 시작했다, "여보쇼, 부자 양반! 더블린까지 버스로 가다니 미쳤소? 버스 대신 헬리콥터(helicopter)를 타고 갔어야죠, 젊은 도련님?" – "난 지금 귀족이 아니고 겸허(謙虛)해지려고 노력 중입니다. 그거 알아요? 서민들의 생활 속에 몸을 담갔을 때 어떨지 몸소 체험(體驗)하고 싶은 기분요." 그의 재치 있는 대답에 버스 운전사는 크게 웃었다.

두 시간여 뒤에 휴게소에서 연은 양아욱(marshmallow) 뿌리 과자를 얹은 뜨거운 코코아(cocoa)인 핫 초콜릿 음료 한 잔과 커피를 주문했다. 가게 주인인 폴란드(Poland) 부부는 즉석-커피를 만들 듯이 커피 가루를 종이잔에 쏟은 후 뜨거운 물을 붓고 몇 번 휘휘 젓더니 2.3유로짜리 핫 초콜릿과 함께 그에게 건넨다. 커피는 버스 운전사를 위한 것인데 1.8유로로 할인해 주었다. 연은 버스에 올라타 운전사에게 커피를 주고 자리에 앉았다. 버스

라디오에서는 영어로 이민자에 대해 토론하고 있었다. 영어에 능통한 연이 자세히 들어보니 폴란드 이민자가 다른 나라의 이민자 수를 넘어섰다는 내용이었다.

별로 생활에 쾌적해 보이지 않는 풀죽은 광야와 목초지(牧草地)를 지나니 시골 마을이 모습을 드러냈다. 잠시 멍하니 시간 가는 줄 모르는 사이, 멀리 한 도시가 지평선에 드러났고, 근접하니 사람들로 바글바글했다. 더블린이다!

연은 더블린 한복판에서 하차했는데 이리저리 홍수(洪水)처럼 왔다 갔다 하는 인파가 마치 그의 고국 수도 같았다. 다만 고국의 수도가 근대와 단절된 현대라면, 더블린은 중세의 향수(鄕愁)가 고스란히 전달되는 근대적인 느낌이다. 긴 여행으로 공복 상태인 연이 큰 거리 근처에 나란히 있는 두 요리점의 가격표를 보며 더 싼 곳으로 들어가려는데, 그 옆에 있는 맥도날드가 눈에 띄었다. 몇 번 망설이다가 연은 얼굴을 찡그리며 즉석 음식점 문을 밀어 열었다.

사람이 풍요로운 삶을 영위(營爲)할 수 있는 원인은 자본주의가 아니라 과학이며, 이는 민주주의에 중추적인 역할을 해 왔다. 그런데 중산층으로서 누구 못지않게 사는 천재들은 요즘 시대에 점점 사라져 가고 반면에 자본주의는 세계를 점령했다. 미국 맥도날드의 창립자는 창조주도 천재도 아닌 그저 노예(奴隷) 노동자를 잘 길들이는 조련사(調鍊師)다. 규모의 경제는 그들을 부유하게 하고 제로-섬 게임(zero-sum game)에서 승자가 되었는데 그건 인류의 발전, 진화와는 거리가 먼, 번거로운 사업 관리일 뿐이었다. [iii]전주(錢主)인 [iv]재정가(財政家)에 의해 빛 좋은 개살구인 정크푸드 산업이 기승(氣勝)을 부릴수록 빈부격차는 진화 없이 더 벌어지기만 했다. 이를 알고 있기에 연은 기분이 나빠졌다. 그렇지만 그가 어떻게 저항할 수 있으랴? 어쨌든 그도 배가 고플 때, 때때로 제일 우선순위인 열량 높은 음식으로 일단 위장을 채워 달래야 했다. 도저히 [v]자양물(滋養物)이라고 할 수 없는 고열량 쓰레기 음식이지만 당장 그의 배고픔을 달래주고 그를 며칠 더 버티게 해 줄 수 있다는 사실은 부정할 수 없었다.

가게에 들어서자, 입구 옆에는 경비원이 서 있는데, 판매대 앞에 줄 서 있는 사람들을 지켜보고 있다. 연의 차례가 돌아오자, 그는 6.7유로짜리 빅맥을 주문했다. 간단히 식사를 해결하고 나가는 길에 경비원의 눈빛은 그가 처음 들어왔을 때와는 사뭇 다르게 부드럽게 바뀌었고 태도는 공손해졌다. 연이 그에게 지도를 보여 주며 가장 가까운 "청소년 여관"의 위치를 묻자, 그는 친절하게 설명해 준다, "우리는 지금 여기 있어요. 스파이어(Spire) 알아요?" – "아뇨," 연이 고개를 가로저었다. "공식적으로 [vi]빛의 기념비(Monument of Light)'라 불리는 '더블린 첨탑(尖塔)'은 더블린의 이정표예요. 알겠어요? 모든 위치의 좌표는 여기를 기준으로 시작되고 이곳이 우리 현재 위치입니다." 그는 연을 밖으로 데리고 나가, 눈에 확 띄는 약 120미터 높이의 뾰족한 첨탑을 손가락으로 가리키며 그것이 더블린의 첨탑이라고 얘기했다.

경비원이 직접 그려준 지도를 손에 들고 얼마 걷지 않아 연은 말버러(Marlborough)라는 "청소년 숙박소"에 도착했다. 그곳에서 그가 유스호스텔 협회 회원 카드를 보여줬는데도 직원은 하룻밤에 15유로를 요구했다.

〈시험〉

숙소를 잡고 연은 근처 맥줏집에서 1파인트(pint)에 4.8유로 하는 에일−맥주를 한잔하며 갈증을 누그러뜨리고 있다. 선술집 안은 사람이 거의 없어 조용했다. 맥주잔을 기울이며 그는 하루 더 묵어 아일랜드를 관찰하기로 작정했다. 날이 밝자마자 아침 일찍 연은 지하 식당으로 내려갔다. [vii]시리얼(cereal), 빵, 우유, 오렌지 주스(orange juice)가 아침의 전부다. 조악한 식사였지만 어쨌든 주린 배를 채워 넣어야 했다.

더블린 첨탑 근처에 있는 한 가게에서 무료 샘플(sample) 지도를 가지고 나온 연은 그의 동포가 말한 대로 어학원에 등록할 준비에 착수했다.

그날은 유달리 분주했는지 시간이 총알처럼 지나가 벌써 점심 때다. 버거킹−점에서 8.25유로를 주고 제일 큰 햄버거를 먹고 있는데도 그의 공복을 채우기엔 턱없이 부족했다, "뭐 이런 난쟁이 음식이 다 있담?! 망할 미국은 난쟁이 피그미족(Pygmy)이라도 대거 이주했나? 너무 조금이라서 먹은 느낌이 들지 않아 아직도 [viii]헛헛하네." 그 즉석−음식으로 말하면, 버거킹이 대식가를 위해 야심 차게 출시(出市)한 "대빵(Whopper)" 버거다. 창가 바로 옆에서 무료 지역 신문을 탁자에 펼친 채, 연은 창문 바깥과 신문에 번갈아 시선을 던지며 바야흐로 빠르게 점심을 해결하는 중이다. 그 신문은 제1면의 표제로 다음과 같이 대서특필했다, "XXX 독감 발병! 독감철(flu season)이 시작되었다! 주의! 범유행성 XXX 독감 전염성 매우 강함!" 신문의 나머지는 그냥 평범하고 일상적인 이야기로 구성되어 있었다. "어쨌거나 이 마구 퍼지는 질병에 대한 예방 접종인 백신(vaccine)은 있나? XXX 독감이라고? 새로운 변종 독감인가? 그런 용어는 전에 들어 본 적 없어."

　가벼운 식사를 후다닥 끝낸 연은 학원을 찾아 힘차게 나아갔다. 트리니티 대학(Trinity College)의 왼편에 즐비하게 학원가가 늘어서 있는데 이름만 같은 'College'이지 사실상 어학원이다. 그 학원가 가운데 그가 가려는 조그만 사설 어학원이 있다. 트리니티 대학 정문 오른편은 도로 개선을 위한 건설 공사가 한창 진행 중이었다.

　연이 어학당에 도착해 등록하고 싶다고 하자 직원은 그에게 일단 시험을 봐야 하며, 그 후 그의 수준에 맞는 수업을 받을 수 있다고 대답했다. 그리고 마침내 영어 시험이 접수대 한쪽 구석에서 시작되었는데 책상용 컴퓨터가 칸막이마다 설치되어 있었다. 준비조차 없이 연은 [ix]학도(學徒)들의 능력을 평가하는 영어 시험을 보았고, 그가 시험을 끝내자마자 컴퓨터 채점으로 결과가 바로 나왔다. 사투리나 악센트도 없는 표준 음성 듣기 평가가 그에게 식은 죽(粥) 먹기는 분명한데 결과는 과연?

그의 점수는 만족스러운 수준 이상이었다. 연은 100점 만점에 100점을 획득했고 학원 역사상 1등으로 기록되었다. 심지어 그 시험은 그의 능력을 완전히 끌어내지도 못했다. 직원이 연에게 어떤 과정을 이수할지 물었다, "당신은 현재 이 학원 통틀어 1등인데, 무슨 수업을 들으실래요? 옥스퍼드(Oxford)나 하버드(Harvard) 입학을 위한 수업?" '미국 아이비리그(Ivy league)가 뭔 가치가 있지?' 연은 그렇게 생각했다, '어떤 선택을 하더라도 장학금(獎學金)이 없잖아! 만일 있다 해도 그 돈으로 생계를 꾸릴 수는 없단 말이지.' "추천해 주는 뭐라도." 교직원은 음식점 가서 차림표 보기 귀찮아하는 듯한 그의 대답에 곤혹스러워하며 쩔쩔매다가 더듬더듬 몇 마디 내뱉었다, "다소 어이없어 말문까지 막히는군요. 당신이 진짜로 세계 최고의 대학에 관심이 없다면 우리는 몇 가지 영어 자격증에 관한 교육 과정도 있습니다." ― "좋을 대로 해 주세요." 잠시 침묵이 흐르고, 그는 1,000유로가 약간 넘는 학원비를 1,000유로로 깎아서 그 학교에 등록했다.

돌아오는 길에, 연은 갑자기 그의 부모에게 전화하고 싶어졌다. 마지막으로 그들과 통화한 지 꽤 되었고 그것도 스웨덴에 있을 때 한 번, 독일에 있을 때 두 번이 전부다. 연은 오래된 공중전화에 동전을 넣었다. 하나, 둘, 셋, 2유로째다. 그런데도 발신음이 들리지 않았다. 연은 쓴웃음을 지으며 동전 나오는 부위를 그의 주먹으로 쳤다, "쾅!"

그렇게 때린다고 나올 리가 없다. "아!" 연은 독일의 인터넷 전화를 상기하고는 인터넷 카페에 들어가 분당 0.2유로를 내며 그의 부모와 오랜만에 통화했다. 그러고 나서 그는 앞으로 살 더블린 일대를 미리 답사했다.

어둑어둑한 저녁이 되어서야 숙소로 돌아온 연은 주린 배를 저녁 대신 맥주로 채워 넣었다, "4.4유로 ^x맥주-통 두 개가 8.25유로 쓰레기 음식보다 낫지!"

근본적으로, 정크푸드가 아무리 영양분이 부족해도 술과 비교함은 설득력이 떨어진다.

〈보이지 않는 암살자〉

땅거미가 지자, 연이 묵는 방에 숙박객이 하나둘 모습을 드러내기 시작했다. 연의 ^{xi}"동숙객(同宿客)"은 한 쌍의 호주 연인과 땅딸막한 크로아티아(Croatia) 처녀다.

키이라 나이틀리(Keira Knightley)를 빼쏜 호주 여성이 샤워 후에 방으로 들어왔다. 그녀는 머리 건조기로 머리를 말리고 있다. 동숙인끼리 서로를 소개하면서 서먹서먹한 어색함은 금세 녹아 버려 마치 어릴 적 단짝처럼 스스럼없게 되었다. "독일에서 난 힘없는 캥거루 새끼였지. 그 이상도 아니었고." – "그래도 연 넌 언어에 능통하잖아." "난, 말할 때 너의 그 ^{xii}원순 모음(圓脣母音)이 네 남자친구가 너에게 키스하고 싶게 만드는 매력이라고 추측

해, 아일라(Isla)." – "그런 말을 하다니 너 정말 다정하구나!"
"하하, 변태라고 안 불러줘서 고마운걸!"

기분이 좋아진 연은 호주를 시제(詩題)로 즉석에서 운문시(韻文詩)를 읊조렸다.

〈호주〉
원주민이여 땅 위에서 소리쳐라 침범하지 말라고
수중에는 생명이 가득 차 아우성친다 진화하라고
석호 [xiii]짠돌이가 광해로 헤엄쳐 간다
힘내라 힘을 내 육식 동물의 대이동으로
무지개 바다뱀이 정체성을 찾아가니
호주여 호주여 호주여
끊임없이 변하는구나
육지의 지성이 숨죽여 지켜보니
원주 생물이여 당신은 위대하도다

"머리 지짐기"인 인두로 머리를 펴고 있던 아일라는 그 시를 들으며 가슴 벅찬 감동의 미소를 지었다. 이를 본 연이 별거 아니란 듯, 팔은 그대로 둔 채 양 손바닥을 보이며 어깨를 으쓱한다.

잠시 후 대화가 없어지자, 다시 서먹서먹해진 분위기에서 연이 인두를 보며 화제를 돌렸다, "아일라, 너 그거 우리 나라 말로 뭐

라고 부르는 줄 알아?" 그녀가 고개를 가로젓자, 연은 천천히 또 박또박 발음한다, "코테[こて(鏝)]." 그러자 아일라가 연을 따라 말했다.

굉장한 무지로다! 우리의 언어 천재 연도 역사까지 만점은 아닌가 보다. 그건 한자로부터 파생된 일본어지 그의 모국어가 아니다. 차용어(借用語)로서 나라말처럼 쓰일지언정.

아일라는 진지하게 똑같이 발음했고, 그런 그녀가 아기처럼 순수해 보였다. 이제 막 들어오던 호주 청년은 매우 유순(柔順)하여, 열린 방문턱에 서서 연이 그녀에게 자신을 마음껏 뽐내는 상황을 조용히 지켜볼 뿐이다. 이를 뒤늦게 발견한 연이 그에게 악수를 청했다, "내 이름은 연, 당신은 좋은 남자요, ^{xiv}'호지(Aussie)'. 매우 아량(雅量) 있어 보입니다." – "내 이름은 올리버(Oliver), 걱정하지 마요, 난 당신이 유머가 풍부하다고 생각하니까. 아! 그리고 우리 나라를 위해 시까지 지어 주어 너무 감사해요, 연!" 올리버는 오히려 고마워했다. 그러다 때마침 들어온 크로아티아 여성이 호주 연인과 인사 몇 마디 나누고 안면을 텄다. 잠시 후 그들은 바깥 구경 겸 저녁을 먹으러 나갔다.

말버러 숙소 인근에 있는 에일-집에서 에일-맥주를 딱 한 잔만 하고 다시 숙소로 돌아온 연은 창밖을 바라보며 그의 거무칙칙한 회색 미래에 대해 곰곰이 고민 중이다.

숙소 안마당에서는 한 무리의 사람들이 조그만 파티를 하고 있다. "여기서 도대체 무슨 친목회(親睦會)야?" 궁금증에 못 이긴 연의 발길이 저절로 그곳으로 향했는데, 남자 셋과 처녀 셋이 간소한 간식을 안주(按酒) 삼아 음주를 즐기며 어울려 앉아 있었다. 연은 그곳에서 멀지 않은 곳의 나무로 된 긴 의자에 앉아 호기심 끄는 그들을 빤히 지켜보았다.

그들 중 한 명이 연에게 말을 걸기까지는 그리 오래 걸리지 않았다, "우리와 합석할래요?" 순간 그는 망설였다. 그들 중 또 다른 한 사람이 연에게 다시 권한다, "오, 이쪽으로 오세요. 이쪽!" 연은 본능적으로 무언가 이상함을 느꼈지만 술이라면 사족을 못 쓰기에 결국 그들 일행과 동석했다. 세르비아(Serbia)에서 왔다는 꾀죄죄한 남성이 연에게 물었다, "일본어 해요?" – "그럭저럭." "말해 봐요, 뭐라도. 다 알아들을 테니까. 난 사실 오랫동안 일본어를 배워 왔거든." 마지못해 연이 일본어로 말했다, "아리카토(ありがとう)." 그러자 그는 "에이, 너무 쉽잖아."라며 이번에는 자신이 일본어 단어를 영어로 물었다. 난데없는 일본어 시험이 시작되었고 연이 그의 질문에 모두 대답하자, 그 남성은 잠시 머뭇거리더니 곧 우호적인 태도로, 준비해 둔 컵(cup)에 맥주를 따라 주었다. 연이 그 잔을 한 모금 들이켜자 잠시 뒤 정신이 몽롱해졌다.

얼마 후 밝혀진 일이지만 연이 마신 음료에는 이상한 약이 섞여 있었다. 나중에 독일로 돌아왔을 때 그가 변비(便祕) 때문에 며칠을 고생하다 결국 배변(排便)했는데, 그때 먹었던 게 배 속 창자에서 녹색 배설물로 나왔다. 그가 피곤해서 녹초(jaded)가

된 건가? 아니면 진짜 '녹초(綠草)'가 되어 버린 건가!^{xv}

어쨌든 그들이 그를 일본인으로 착각한 이유는 다른 데 있었다. 아까 연이 호주 연인과 대화할 때 그들 일행 중 일본어를 전공한 소녀가 문이 열린 그 방 앞을 지나가다 우연히 그가 말한 일본어를 알아들었기 때문이다.

약에 취한 연은 아시아의 지성을 고의로 파괴하는 일본의 엉터리 영어에 대해 한탄(恨歎)하면서, 일본과는 다른 그들만의 영어를 발명했다고 자랑스럽게 말하는 그의 조국에 대해서도 역시 신랄하게 비판했다. 그는 그 바보들의 뒤로 달리기 경쟁을 "얼뜨기 퇴보(退步) 운동"라 부르며 "덤 앤 더머(Dumb and Dumber)"의 주인공들이 그들보다는 영리하겠다고 조소(嘲笑)했다, "그들은 진정 그 사실을 모르는가? 아니면 그들의 국가를 마음대로 쉽게 조종하려고 그런 저능하고 유치한 단어에 익숙하게 하면서 일부러 둔감한 척하는 건가? 아마도 동포들은 이렇게 말할지도 몰라; 우리는 ^{xvi}'개굴-일본인(Japano-Frog)'을 영어로 이겼다고. 그러나 그들은 사실 ^{xvii}'개굴인(French)' 수준조차 아냐. 아무리 발버둥 쳐도 그들의 엉터리 영어는 세계에서 받아 주질 않았어. 그건 지구 지성인들에게 받아들일 수 없는 모욕이기 때문이며 시간이 흐를수록 그들의 영어 구사 능력은 더 안 좋아졌지. 그들이 고의로 영어를 왜곡(歪曲)하려고 하면 할수록, 그들의 뇌 또한 그렇게 틀어져 꼬이게 돼. ^{xviii}'바보들의 상부상조(Succour For Sucker)'인가. 재밌군."

얼마나 시간이 흘렀을까. 연이 제정신으로 돌아왔을 때 파티는 끝났고 그 혼자만 덩그러니 남아 있었다. 그는 기묘한 약기운에 취해 그의 방 쪽으로 걸었고, 도중에 욕실에 들어가 넘어져 기절했다. 연이 몇 시간 뒤에 그곳에서 반쯤 깨어, 곤드레만드레 취해 기다시피 방으로 들어오자, 땅딸막한 갈색 머리 크로아티아 소녀가 그를 걱정하는 듯 바라보며 물었다, "무슨 일이야? 괜찮아?" 연은 말할 힘도 없는 듯 고개만 끄덕이며 그대로 침대로 꼬꾸라졌다.

다음 날 아침 일찍 호주 연인들은 볼일을 보러 나갔고, 방에는 크로아티아 소녀와 연 말고는 아무도 없었다. 샤워한 뒤, 그는 취기를 날리려 선 상태로 시원한 물 몇 통을 추가로 머리에 끼얹었는데 효과가 거의 없었다. 연은 그녀에게 작별 인사를 하고 황급히 공복인 상태에서 거리로 나왔다. 비행기 출발 예정 시각 4시간 전이기 때문이다.

버스를 타고 가는 도중에도 그의 취기는 가시지 않았다, "세상에 무슨 술이 이렇게 오래 날 나가떨어지게 할 수 있지?"

747 버스로 더블린 공항까지 가는 데 6유로가 들었고 한 시간이 지나자, 그곳에 도착했다. 한 번 실수해서 그런가, 프랑크푸르트 때와는 확연히 다르다. 두 시간을 기다리는 동안 연은 2.4유로짜리 햄버거와 1.2유로짜리 주스 한 컵으로 늦은 아침 식사를 했다.

영국과 아일랜드는 햇빛이 드는 날도 꽤 있지만, 인체를 쇠약하게 만드는 날씨로 외부인들에게 알려져 있다; 음침하고, 흐리고, 축축한. 오죽하면 그들 스스로 자국(自國) 기후의 단점을 외국인을 위해 공항 게시판에 벽보로 써 붙여 놓았겠는가. 마침 바깥의 연탄빛 하늘이 이를 대변했다.

***

제7장 관문

〈귀환〉

독일로 돌아가는 비행 중에 연은 목이 탔지만, 작은 플라스틱 물병 외엔 그의 갈증을 풀어 줄 것이 아무것도 없었다. 얼마 뒤 3유로짜리 물통을 손에 든 채 연이 통로 쪽 좌석에서 한숨을 내쉬었다.

비행기는 3시간도 안 되어 프랑크푸르트에 도착하였고, 이번에는 만세를 외치는 사람이 없었다. 그는 탑승객의 대다수인 독일인이 다른 사람들보다 더 무뎌서 그렇다고 여겼다.

갑자기 프랑크푸르트-한 공항 전체가 무슨 일인지 법석이었다. 입국장이 환호(歡呼)하는 다수의 무리에 에워싸여 있었는데 그들은 다음과 같이 쓴 팻말(牌-)을 든 채 열렬한 갈채를 보내고 있었다; "우리는 네가 비할 수 없이 자랑스럽다! 프랑크푸르트 귀환을 환영해!" 연은 그 장한(壯-) 사람이 누구인가 보고 싶었으나 궁금증을 해결하기에는 자신이 너무 피곤했다. 그는 서둘러 각각 2유로에 산 핫도그와 ^{xix}소다수(soda水)를 든 채 12유로를 내고 공항 왕복 버스를 탔다.

 연은 자신조차 얼마나 자주 먹는지 몰랐다. 결과론적인 얘기지만, 그는 자주 먹기는 했어도, 돈을 아끼려 음식을 바싹 줄여 간식했으므로 평균 정규 식사 가격의 4분의 1 정도를 소비했다. 그건 적은 돈으로 오래 버티는 데 중요한 역할을 했으나, 182 cm 키의 연이 활동적으로 움직이기엔 부족한 식사량이었다. 여관으로 돌아가는 공항버스 안에서 연은 예쁘장하고 스스럼을 타는 호리호리한 체격의 프랑스(France) 소년 옆자리에 앉았는데, 그는 안절부절못하는 상태여서 연의 궁금증을 불러일으켰다. 10대 후반인 소년은 자신이 프랑크푸르트-한 공항을 프랑크푸르트 공항(Frankfurt Airport)으로 착각했다고 했다. 그건 연이랑 같은 상황인데 엄밀히 따지면 공항 순서만 바뀌었다. 연은 괴로워하는 프랑스 소년의 모습이 그때의 자기 모습과 겹쳐 보여 동정하지 않을 수 없었고 그에게 도움의 손길을 내밀었다, "이봐, ^{xx}'프랑소년'. 내가 어떻게 하면 네게 도움이 될 수 있지? 너, ^{xxi}포격-쇼크라도 받은 모양새야." - "프랑크푸르트 공항까지 얼마나 오래 걸려?" "글쎄, 내 기억으로는 그곳까지 가는 데 거의 한 시간 반은 걸렸어." 그 당시 HHN에서 프랑크푸르트 공항까지는 1시간 20

분 정도 걸렸다. 프랑스 소년의 얼굴은 암울하고 막막(寞寞)한 절망에 휩싸인 듯 잿빛이 되었다, "미치고 팔짝 뛰겠네! 내 계산으로는 이미 10분이나 늦어 버렸어!" − "거기 대기 시간 포함해서?" "응. 제길, 이제 와 비행기 잡으려는 행동은 무모해. 버스한 번 잘못 탄 대가로는 너무 악운이잖아!" − "자! 자! 걱정하지 마. 해낼 수 있어. 일단 침착하고 긴장 좀 풀어! 아, 참, 소다 좀 마실래?" 그러자 프랑스 소년이 내키지 않는 기색을 한다, "안 마시는 편이 낫겠어. 꿀떡꿀떡 들이켤 시간조차 없어. 어쨌든 흥분해서 소란을 일으켜 미안해!" − "언제 또 만날 수 있길 바라!" 공항 왕복 버스가 프랑크푸르트 공항에 도착하자마자, 소년은 버스에서 뛰어 내리더니 급박한 상황을 만회(挽回)하려 허둥지둥 냅다 달린다. 연은 당혹하면서도 신기하게 생각했다, "아, 우리의 데자뷔(déjà vu) 같은 공항 이야기가 영화화된다면 볼만하겠는 걸?"

〈이색 소풍〉

어느 화창한 날 연은 그를 항상 졸졸 따라다니는 십 대 소년과 마인강으로 소풍(逍風)을 나섰다, "야외에서 한잔 어때?" − "형, 교포가 운영하는 가게에 있는 우리 나라 알코올로 하자." "안 돼, 너 미성년자잖아. 술은 내 거고 콜라는 네 거야." 그 말에 소년은 묘하게 미소 짓는다. 소년이 알려 준 교포 가게에서 0.6유로를 주고 조그만 고국의 전통주 병을 산 연은 강가 오솔길 옆 끈적끈

적하고 축축한 잔디밭 위에 매트(mat)를 깔고 누웠다. 다른 한 쪽 잔디밭에서는 아라비아 젊은이들이 ˣˣⁱⁱ후카(hookah)로 물담배를 피우고 있다. 연이 청명(淸明)한 담청(淡靑)빛 하늘을 감상하면서 술병째 들이켜려 할 때 까불이 동포 소년이 그에게 다시 조른다, "형, 난 술 약간은 마셔도 괜찮아. 18살이거든." 그는 애원(哀願)하는 눈빛으로 연을 바라보았다. "그래? 저런, 넌 서양에서 17살이잖아?" 소년은 억울하다는 듯 소리쳤다, "연!" – "알았어, 알았어!" 연은 그에게 새끼손가락만 한 종이잔을 건네며 술을 따랐고 그 소년도 연에게 똑같이 따라 주었다. "연, 독일에서 우리 나라 술을 마시다니 재밌지 않아?" – "그래, 재밌어." "거짓말처럼 믿기지 않을 정도야!" 조그만 술병은 어느새 텅텅 비었고, 그들은 각자의 생각에 잠긴 채 잔디에 누워 말없이 하늘을 바라보았다.

아일랜드에서 합법적으로 살 수 있다는 생각에 연은 뛸 듯이 기뻤다. 그는 일단 비자 문제 없이 살 수 있다면 언제라도 비상근직을 구할 수 있으리라 믿었다. 연은 그의 최우선 목표를 성공적으로 수행했지만, 이후 계획을 실행할 돈이 부족해 경제적 도움 없이 무작정 밀어붙일 수는 없었다. 그는 고민했다. 무엇보다도 그의 부모에게 돈을 빌리기가 미안했다. 어찌 되었든, 결과적으로 연은 불가피하게 그들의 손을 빌릴 수밖에 없었고 최선을 다했다고 되뇌며 자위했다.

다음 날 연은 다듬어지지 않은 긴 머리카락을 자르러 미용실을 찾았다. 그의 숙소 근처에는 터키 이발소가 있는데 [xxiii]"밤송이머리"만 한다. 다행히 여관 뒤편에 큰 미용실이 있었다.

안에서 잠시 기다린 후 연의 차례가 되자 30대 스웨덴 여성 [xxiv]헤어스타일리스트(hairstylist)가 그를 자리로 안내했다. 그가 담배를 만지작거리는 모습을 본 미용사는 웃는다, "담배 태우실래요?" – "정말요? 정말 괜찮겠어요? 실내 흡연은 스웨덴에서처럼 불법 아닌가요?" "여긴 스웨덴이 아니잖아요," 그녀는 킥킥 웃었다. "난 상고머리는 안 좋아해요. 고소가 싫거든요." – "당신 꽤 위트(wit)가 있군요. 어떤 머리 모양을 원하세요? 다듬고 가르마 탈까요?" "바람이 앞머리를 쓸어 넘긴 듯 스웨덴 소년들이 하는 스타일로 해 주세요. 단! 가르마가 너무 한쪽으로 쏠리지 않게요." – "문제없어요!"

그들은 무료하지 않게 얘기를 계속했고 그러는 동안 그의 이발 (理髮)이 끝났다. "훌륭해! 미용의 결정판 그 자체예요." – "고마워요."

바깥 거리로 나온 연은 불확실한 미래에 대비해 몸을 아껴 체력을 비축하기 위해, 온천장에서 목욕하고 안마(按摩)-받아 뭉친 근육을 풀고 싶었다. 그는 그동안 프랑크푸르트에서 임시직으로 번 돈으로 자신에게 그 정도 조그만 보상을 해 줄 여유는 있었다. 그래서 연은 목욕탕 겸 온천장을 찾아 돌아다니기 시작했는데 별 어려움 없이 금방 발견했다. 하지만 그곳은 사실 성관계가 주목적인 목욕장이었다. 그가 짧은 속바지만 입은 채 탈의실에서 복도 쪽 거실로 들어서자마자 흑갈색 피부와 머리를 한 여성이 그의 삼각 속―팬츠(underpants)를 애무(愛撫)하기 시작했다. 무뚝뚝해 보이는 50대 여주인이 연한테 그녀에게 술을 한잔 사겠냐고 물었고 그는 바로 아니라고 대답했다. 그러자 중년 여성은 더 무뚝뚝해지다 못해 싸늘하게 변했다. 연이 욕탕에 들어가서 몸을 찜질한 후 나오자, 기다리고 있던 벌거벗은 불가리아(Bulgaria) 처녀가 그의 알몸에 부드럽게 비누 거품을 칠하고 난 뒤 비눗기를 물로 헹궈냈다. 그리고 그녀는 그를 데리고 사방이 거울투성이인 방으로 들어갔다.

불가리아 소녀는 고무 주머니인 콘돔(condom)을 그의 성기에 끼웠고 그녀의 엉덩이를 그쪽으로 돌렸다. 그가 성기를 그곳에 밀어 넣고 성행위를 시작하는데, 거울에 그녀의 얼굴과 커다란 젖가슴이 비쳤다. 그녀의 유방(乳房)은 자연 그대로의 가슴인데도 처지지 않고 모양이 예술적으로 아름다웠으며 젊은 아시아 여성 평균 크기의 두 배는 가뿐히 넘어 보였다. 사방의 거울에 비치는 쾌감에 젖은 여성의 얼굴과 출렁이는 그녀의 젖가슴에 연의 성기는 흥분해 더욱 커지고 단단해졌다. 쾌락을 더욱 극대화하려고 성행위 중에 그가 콘돔을 빼려고 하자 그녀가 손바닥을 세워 제지(制止)하고 그에게 추가로 두 배의 돈을 요구했다. 그러자 그는 "맨살 성교"를 포기하고 하던 성행위를 마저 하려는데, 그녀는 시간이 다 되었다고 하며 들어온 문으로 먼저 휙 나가 버렸다.

연이 여관으로 돌아왔을 때는 몇 시간이 지난 후였다. 돌아오자마자 기다렸다는 듯이 개구쟁이 아시아 교포 소년이 낄낄댄다, "여! 형, 어디 갔다 왔어?" – "어, 그게, 사우나 가서 뭉친 목 근육 좀 풀었어." "항간(巷間)에 떠도는 소문으로는 이곳 어딘가에 뽕가게 만드는 성인 온천장이 있다고 하던데… 그건 그렇고, 내가 잘 아는 강한 ^{xxv}폭한(暴漢)이 한 사람 있는데 내 생각엔 아마 형보다 강할걸? 그 형은 프랑크푸르트 교포 유학생이야." – "그래서?" "연 형이 독일 떠나기 전에 여기 와서 한번 보고 싶대." – "나를? 뭐 때문에?" "'덤벼 봐!'라고 형한테 말했어." 그는 교포 소년이 왜 그런 말을 하는지 도무지 알 수 없어 여관 주인에게 사정을 얘기했다. "난 그 애를 친자식처럼 오래 키워왔지. 아마도 이건 터무니없는 억측(臆測)일지 모르지만, 그는 자기가 아는 형 중에서 한 명이라도 자네보다 강함을 확인함으로써 자신이 속한 무리의 우월성을 확증(確證)하려는 듯하네."

소년의 말이 진담인 듯 정말로 그가 말했던 청년을 이틀이 지나 데리고 왔다. 그는 남자다워 보였지만, 소년이 말한 대로 그렇게 강해 보이지는 않았다. 짧은 인사말을 서로 나누고 그는 다른 특별한 말 없이 젠체하며 떠났다.

"건달이 아니네? 십 대 애들이란... 쯧쯧!" 이를 지켜보던 여관 주인이 혀를 차며 고개를 저었다.

〈드디어 아일랜드로!〉

연의 모든 계획은 완벽해 보였지만 가장 중요한 문제가 남아 있었는데 그건 바로 경비(經費) 부족이다. 그는 이미 가지고 있던 돈을 어학당에 다 써 버렸고 그곳에 가려면 적지 않은 돈이 지출되며 그가 잡일 같은 임시직을 구할 때까지 곤궁한 삶을 견뎌야 한다.

아일랜드로 떠나기 이틀 전에, 독일 계좌가 없던 연은 근처 인터넷 카페에서 그의 부모와 무려(無慮) 5차례나 통화를 하면서, 영사관(領事官)으로 1,700유로를 송금해야 하는 상황을 설명하고 있었다. 연은 모든 은행 업무를 전화와 인터넷으로 대신했다. 겨우 부모를 이해시켜 받은 송금을 전화로 확인한 그는 2.2유로에 내부가 낙서투성이인 유-반(U-Bahn)을 타고 영사관으로 갔다. 그곳에 도착한 연은 신원을 밝힌 후 돈을 수령하려는데, 여성 관리가 그를 철없는 유학생으로 보았는지 돈을 아껴 쓰라고 충고했다, '쳇! 환전 수수료 다 챙겨 먹으면서 이 아줌마는 도대체 뭔 귀신 씻나락 까먹는 소리를 하고 있어? 이 돈이 바로 지금 이 순간에는 큰돈이지만, 일용직조차 없이 지내려면 지독하게 아껴 써도 끽해야 석 달도 근근이 살아가기 힘들걸?' 그 여성 관리는 추측하건대 부잣집 도련님이 용돈 받는 정도로 치부해 버린 듯하다. 진실이야 어쨌든, 1분 1초가 아까운 연은 대답도 하는 둥 마는 둥 유반 정거장으로 갔는데, 인근은 건물이 거의 없고 휑했다. 그는 돌아오는 길에 이제야 임시방편으로라도 큰 걱정을 떨쳐 버릴 수 있어서 한숨 돌렸다.

그때까지도 담배를 못 끊은 연은 허리띠를 졸라매고 담뱃값이 비싸기로는 세계에서 최상위권에 드는 아일랜드에 가기 위해 마지막 조치를 취했다. 그는 담뱃가루 5통을 69.75유로로 사면서 한 묶음당 0.85유로 하는 담배 종이 몇 묶음과 중지(中指)만 한 담배 마는 기계도 추가로 구매했다. 고국에서 가져온 담배 한 상자는 이미 다 피웠다. 한 상자가 10갑, 1갑이 20개비니까 총 200개비를 태운 셈이다. 그 뒤로 파이프 담배를 피우게 되었지만 가지고 다니면서 흡연하기에는 불편했다. 다음번에 외국에 나갈 때 이런 일이 없게 연은 그의 건강을 빼앗는 이 죽음의 습관을 근절하는 데 총력을 기울이면서, 과다한 짐을 단순하면서도 질긴 방수 배낭(rucksack) 하나로 줄이기로 결심했다. 왜냐면 "돌-배낭(rock-sack)"은 차라리 없는 편이 낫기 때문이다. 이런 그의 처녀-항해 경험은 훗날 다음 여정을 수월케 하도록 길을 닦게 된다.

프랑크푸르트 마지막 만찬에서 연은 낯-깎임을 무릅쓰고 그가 시골뜨기임을 밝혔다, "내 인생에서 첫 비행은 네덜란드를 경유해서 스웨덴으로 갈 때였고, 첫 승선은 여기 독일에서 배로 유람했을 때지. 나 촌놈으로 보이지?" 숙박객들은 어이없다는 듯이 그를 쳐다보며 동시에 소리쳤다, "넌 우리 동포가 아니야!" 그리고 그들은 다 같이 웃었다.

월요일 아침 일찍 연은 교포에게 작별 인사를 고했는데, 그들에게는 귀찮은 존재였던 연을 떼쳐서 시원한 이별이었다. 이유야

어찌 되었든, 모두가 연의 앞날을 축복해 주는 가운데, 이야기를 들은 주인 부부는 그의 포부(抱負) 있는 결정을 ^{xxvi}성원(聲援)했다.

드디어 연이 제2의 조국, 독일을 떠나는 대망의 날이다. 그가 새벽에 출발할 때, 두 번째 아이를 배어 배가 남산만 한 여주인이 연에게 물에 타서 마시라고 볶은 쌀가루인 미숫가루 몇 봉지를 건넸다, "난 네가 강하기 때문에 어떤 상황에서도 위험을 극복하고 목적을 달성할 수 있으리라 여기지만 만일에 대비에 이걸 가져가도록 해." 그렇게 인정 많은 여관 주인 부부와 가정부는 눈물을 훔치며 연을 ^{xxvii}전송(餞送)하기 위해 프랑크푸르트 중앙역까지 마중 나왔다.

그가 탈 유로라인즈 장거리 여행 버스는 역 앞 바로 오른편에 정차해 있다. 의외로 장거리 여행 버스비가 항공료보다 많이 들어 런던까지 68유로가 들었다. 라이언에어 항공기를 타고 가는 비용보다 훨씬 비싸지만, 버스에 탄 다른 이들처럼 짐이 많은 연에게는 선택의 여지가 없었다. 이는 자연히 굴욕적인 검문으로 귀결됨이 불 보듯 뻔했으나 이에도 아랑곳하지 않고 연은 태어난 이래 버스로 가는 제일 긴 여행에 아이처럼 흥분했다.

한참 아우토반(Autobahn)을 주행하던 버스는 어느 순간 궤도에서 벗어나 쾰른 대성당(Kölner Dom)을 지나쳤고, 얼마 안 가 쾰른(Köln)에 있는 첫 번째 휴게소에서 잠시 정차했다. 그곳에는 육감적인 10대 소녀가 그녀의 부친으로 보이는 중년 남성과 함께 튀긴 닭을 먹고 있었다. 그런 그들을 보며 그도 점심으로 튀긴 닭과 코카콜라를 11.09유로에 주문했다. '글쎄, 무식욕중인 다른 소녀보다는 낫네. 저 멋진 배와 탄탄한 엉덩이를 봐!' 점심 식사가 끝나자 날카로웠던 신경이 누그러지고 기분이 좋아진 연은 어차피 한 배, 아니 한 버스에서 적지 않은 시간을 함께할 같은 처지의 버스 승객들과 인사 정도는 쉽게 할 수 있겠다고 생각했다. 그러나 현실은 그렇지 않았다. 버스 뒷부분이 승객 3분의 1을 차지했는데, 다음 휴게소에서 그들이 잠시 휴식하러 잘 안 보이는 뒷좌석에서 내릴 때 연은 그제야 그들 전체가 흑인임을 발견했다. 그들이 쓸데없는 소란은 원하지 않아 적어도 버스에서만큼은 스스로 격리하였기 때문이었다.

어쩌면 인종 차별이나 밀항자 때문에 그들 중에 억울하게 희생양이 있었을지도 모른다. 어쨌든 연은 흑인이든 백인이든 상관 안 했다. 단지 그의 돈을 안전하게 간수하기 위해 낯선 이를 조심하며 방심하지 않을 뿐이다. 어느덧 버스는 독일 국경을 지나 벨기에로 진입하고 있었다.

〈벨기에 초콜릿-데이트〉

늦은 오후 단조로운 바깥 풍경에 벌써 지루해진 연이 다음 정거장에 도착하기만을 기다리고 있다. 긴 주행 끝에 버스가 벨기에 시골 지역의 어느 한적한 휴게소에 정차했다. 버스가 멈추자마자, 그는 버스에서 내려 화장실에 갔다. 안에는 가지각색의 콘돔 판매 기계가 있는데 바로 옆은 가게다. 연은 거기서 물 한 병을 사고 버스 문 쪽 정면에 있는 공터로 걸어갔다. 그런데 이게 무슨 일인가?! 슈퍼맨 티셔츠(Superman T-shirt)를 입은 아름다운 10대 후반 소녀가 어디서인지도 모르게 나타나 그곳 그네에 앉아 있었다. 연과 소녀가 눈이 마주쳤을 때 그녀의 유혹하는 미소가 얼비쳤다. 갑자기 벨기에 소녀가 일어나더니 연에게 다가온다. 그러는 동안 그는 여러 소녀가 사방에서 나타나 그를 에워싸고 있음을 알아채지 못했다. 그녀는 소녀들에게 다가가 그녀 옆으로 오라고 속삭이고 수줍게 연한테 초콜릿과 사탕 한 다발을 건넸다. '대체 왜?' 그의 머리는 의문으로 가득 찼다. 어쨌든 인사는 해야 했다, "매우 감사합니다." - "몸 조심히 가고 앞날에 축복이 있길. 우리는 당신을 좋아해요!"

마침 버스 운전사가 탑승하고 있어서 그는 궁금함을 풀지 못한 채 떠나야 했다. 소녀들은 더 할 말이 있는 듯 떠나는 그 순간까지 연과 같이 있기를 애타게 바라는 듯 보였다.

'이 소녀들은 도대체 나에게 뭘 원하는 걸까?' 그는 궁금해 죽을 지경이었다. "이봐, 소년! 우리는 지금 출발한다고!" 버스에 있는 누군가 연에게 소리쳤다.

얼마나 더 달렸을까? 마침내 대륙 여정의 끝에 도착했다. 지난밤 그들은 벨기에와 프랑스의 북쪽 끝인 도버 해협(Strait of Dover) 가까이에 도달했다. 버스는 정박 중인 [xxviii]연락선(連絡船) 바로 앞 어떤 건물이 있는 곳에 끼익 소리를 내며 섰는데 불

빛이 명멸(明滅)하고 있다. 그렇다, 이곳이 검문소다. 갑자기 보이지 않는 구속(拘束)이 버스를 지배하는 듯 승객들은 알아서 장거리 여행 버스에서 일제(一齊)히 하차하였고, 연도 마찬가지였다. 줄을 서기 전에 연은 이런 경험을 해 본 적이 없음에도 확실히 통과하기 위해 아일랜드 학교 등록증을 그의 봇짐에서 꺼냈다. 심각한 분위기로 판단하건대, 힘든 심문(審問)이 될 수 있겠다. 그가 버스에서 서류를 가지고 올 때도 여전히 대기하는 줄은 거의 줄어들지 않고 그대로였다. 연의 차례가 되자 출입국 관리 사무소에서 나온 매 같은 눈초리를 한 심문자가 연의 여권을 홱 가져가서 사무용 컴퓨터에 신상 정보를 입력한다. 신원 확인 절차 도중에 그는 연을 흘깃 보더니 의심스러운 눈초리로 그의 여권을 가지고 사무실로 들어갔다. 그렇게 그는 열외되어 골라낸 쭉정이 신세로 멀뚱멀뚱 서 있게 되었다. 출입국 관리가 다시 나왔을 때는 꽤 시간이 지나서였다. 그는 다른 사람을 대하는 태도와는 전혀 다르게 일변(一變)해 연에게 언제, 왜 유럽에 왔는지 물었다. 연은 그의 질문에 얼버무리지 않고 간단명료하게 답변하면서, 구질구질한 변명을 피하려 학교 입학증을 그에게 건넸다. 출입국 관리 직원은 심문을 잠시 멈추고 그 증서를 눈 쪽에 가까이 가져와 뚫어지게 쳐다보았고 얼마 후 연에게 손을 휘저어 가도 좋다고 신호했다.

"쳇! 짜증나게 하는 생애 두 번째로 쓸모없는 속사포 질문이야!"

버스 승객 중 한 명 빼고 전부 무사히 고비를 넘기고 버스로 귀환했다. 끝까지 열외된 마지막 한 명의 기나긴 심문 끝에 다행히 출항 승인이 모두에게 떨어졌다. 차량 출입 차단기의 막대가 올라간 뒤 버스는 부두에 정박 중이던 큰 연락선인 페리(ferry)를 향해 나아가기 시작했다. 장거리 여행 버스가 배의 바닥 격실(隔室)로 들어오고 문이 닫히자마자 승객들은 버스에서 내려 배 안 밑바닥에서 위쪽으로 걸어 올라갔다. 그러자 안에 드넓은 공간이 펼쳐졌는데, 사람들이 드문드문 앉아 있는 바와 라운지 벽에 걸린 대형 텔레비전(television)이 시야에 들어왔다.

연은 선체 중앙에 있는 바 중 한 곳에서 2.9유로인 기네스(Guinness)를 큰 잔에 가득 따라 잔째로 들고, 런던행 연락선의 ^{xxix}상갑판(上甲板)으로 올라가 맥주를 마시며 밤바다를 즐겼다. 검은색 흑맥주와 밤바다는 마치 깔 맞춘 듯 잘 어울렸고 바다 공기의 짭짤하게 톡 쏘는 냄새가 그의 콧구멍을 간질였다. 꽤 많은 선객(船客)이 연이 그러하듯 갑판 위에서 밤 풍경을 즐기고 있었다.

견학 여행 중인 어린아이들 속에 한 처녀가 있었는데, 한 손으로는 돌풍이 흩트려 놓는 그녀의 황갈색 머리를 부여잡고 다른 한 손으로는 아이들을 통제하느라 분주했다.

그날 저녁, 바람은 맹렬했고 이내 누그러질 모양새가 아니었다. 그의 손에 있는 맥주잔이 요동치기 시작했고 흘린 흑맥주가 공기 중에 방울로 흩어져 날아갔다. 그러나 도버 해협을 건너는 데 그렇게 불리한 기상 상태는 아니었다. 배는 조금도 기울지 않아서 그는 흔들리는 갑판 위를 끄떡없이 걷는 능력은 물론 배의 흔들림에 익숙해질 필요도 없었다.

상갑판을 거닐던 연은 무심결에 한 부부의 대화를 엿듣게 되었다. "돌풍이 이렇게 큰 배를 뒤집기는 불가능하지만 이런 날씨 때문에 산호초(珊瑚礁)에 난파(難破)나 좌초(坐礁)되면 어떡해? 배 위에 ˣˣˣ난선자(難船者)를 위한 구명 설비가 있나? 보트를 달아 올리는 ˣˣˣⁱ철주(鐵柱)는? 그리고 배에 새는 곳이 생겼을 때 괸 물을 퍼내는 펌프(pump)는 어떻지? 오, 도와주세요! 아무라~도 와주세요!" ─ "이봐, 여보, 자기는 잔걱정을 너무 많이 한다. 제발 진정해. 지금 바다는 배가 못 다닐 정도는 아니야. 이제 우리는 목적지로부터 겨우 몇 ˣˣˣⁱⁱ해리(海里)밖에 안 떨어져 있어."

연은 바람을 등지고 배의 조타실(操舵室) 근처 벽에 붙어 맥주를 마시는 데 방해가 되는 거센 돌풍을 최소화하였다. 그때 방랑하는 중년 남성 음악가가 연과 똑같은 생각으로 그에게 다가왔다. 기타를 등에 멘 사내의 갈색 머리는 허리까지 닿을 정도로 치렁거렸다. 연은 즉시 그가 아마추어가 아니란 사실을 꿰뚫어 보았다. 그들은 오랜 시간을 이야기하며 보냈는데, 중년 남성은 자신이 독일 출신이며 거리에서 공연을 해 왔다고 했다. 그들이 공통 관심사인 음악에 관해 이야기하며 친해지는 데는 오래 걸리지 않았다. 대화가 끝나고 그 음악가는 연주를 위해 기타 조율(調律)에 착수했다. 연은 고개를 돌려 천방지축 뛰어노는 아이들과 여전히 술래잡기 중인 여성을 흥미로운 듯 계속 주시했다. 숨이 찬 그녀는 몸을 쭈그리고 앉아 숨을 고르는 중이다. 그는 그녀에게 다가가 말을 건넸다, "안녕하세요. 당신은 영국 사람인가요?" – "아뇨, 우리는 체코슬로바키아(Czechoslovakia)에서 영국으로 견학 여행을 가는 중이에요." "당신은 체코의 ˣˣˣⁱⁱⁱ프라그(Prague) 출신인가요?" – "프라그? 아하! 프라하(Praha) 말이군요. 맞아요." "혼자서 이 꼬맹이들을 다 돌보려면 다소 힘든 일같이 보이네요." – "좀 그렇죠, 보다시피. 하지만 제가 좋아서 하는 일인걸요."

아이들은 여선생과 연이 같이 서 있는 모습을 보자마자 그들 주변으로 몰려들었다. 그중 한 아이가 연에게 장난기 가득한 웃음을 머금고 연을 빤히 쳐다본다, "참고삼아 말하는데 우리 선생님은 미혼이에요. ˣˣˣⁱᵛ'굴리아스(gulyás)' 요리를 잘하고 특히 과일을 곁들인 사슴고기 '굴리아스'가 일품이죠. 선생님에게 관심이 있어 보여서 미리 귀띔해 주어요." 그러자 나머지 아이들이 크게 깔깔대기 시작했다. 연은 순간 난처해졌다, "하하, 어른을 놀려대면 못써요, 요 꼬마 장난꾸러기들! 나만 당할 수는 없지. 이리 와!" 아이들은 '꺅' 소리를 지르며 연을 피해 도망 다녔다. 그렇게 그들과 즐거운 시간을 보낸 후 그는 체코슬로바키아 여선생에게 손을 흔들어 이별의 인사를 대신했다.

한바탕 소동이 지나가자 질풍까지 잠잠(潛潛)해지고, 연이 탄 연락선은 동틀 녘 영국 최남단의 항구에 닻을 내렸다. 배와 부두를 연결하는 다리가 내려지자, 버스가 육지로 이동하였다. 육지에 도착하자마자 그는 또 다른 심문을 맞닥뜨리게 되었고 그동안 쌓인 짜증이 물밀듯 밀려왔다. 영국 입국 심사관은 그에게 캐어물었다, "얼마나 오래 이 나라에 묵을 겁니까?" 연은 단호하게 대답했다, "하루 동안요." 그러자 출입국 관리가 오히려 실망한 표정으로 되묻는다, "겨우 하루 동안?" 연은 고개를 끄덕였다, "물론이죠! 내가 하룻밤을 여기 영국에서 보내지 않고 간다고 문제 있습니까? 당신! 지겨운 ^{xxxv}'잡자(copper)'요?" – "아니, 그냥-- 좋아요, 이제 가도 돼요." "그럼 안녕!"

전원 검문을 마친 버스는 잠시 후 런던을 향해 출발하였다. 꼭 두새벽부터 매우 지친 연에게 창문 밖으로 아련히 보이는 영국의 새로운 풍경은 매력적이고 신선했다.

아일랜드같이 ^{xxxvi}고적(孤寂)하지는 않으나 유사한 풀과 ^{xxxvii}둔덕이 끊임없이 굽이친다. 버스가 인적이 있는 마을로 진입하기까진 오래 걸리지 않았다. 집들은 매우 간소하고 수수해 보이는데, 거리 대부분이 꾸불꾸불 굽었으며 작은 ^{xxxviii}환상 교차로(環狀交叉路)와 좁은 도로가 많았다. 얼핏 보기엔 혼잡해서 교차점에서 사소한 사고나 끔찍한 교통 체증을 일으킬 듯하지만, 자세히 보면 지리적 측면에서 자연스럽게 잘 작동한다. 어둑어둑한 새벽이 지나 완전히 날이 밝자 거리 곳곳에서 굴러다니는 쓰레기가 보인다. 런던이 쓰레기까지 유구(悠久)했나?! 여기저기에 "대출(貸出)"이라고 쓰인 간판을 단 판자 가게가 있는데 그의 모국과 별 다를 바 없어 보였다.

그가 탄 버스가 빅토리아 장거리 여행 버스 정류장(Victoria Coach Station)에 도착하였다. "0.2파운드(pound)" 표지가 부착된 화장실을 보자 연은 스웨덴의 화장실이 떠올랐다. 생리적 요구에 저항하기 위해 괄약근(括約筋)을 팽팽하게 긴장했지만, 몸은 이미 어기적어기적 수세식 화장실로 가고 있었다. "오, 제발! 제발 생리(生理) 선생님, 숙소에서만 날 불러 주길! 안 그러면 난 곧 땡전 한 푼 없는 빈털터리 신세야!"

연이 런던에 도착한 날은 주말이었는데도 이른 아침이라 그런지 생각보다 사람이 별로 없었다.

환전상은 70.53유로에서 59.07파운드로 환전하는 데 환차익 외 별도로 2.5유로의 추가 수수료를 받았다. 그것은 참말로 얼토당토아니한 일이다. "오징어같이 흐물흐물 느물느물 오라지게 짜내네. 오라질!"

역 대합실에는 사람들로 바글바글했다. 줄을 이룬 대기열은 뱀이 똬리를 틀 듯 그곳을 꽉 채운 상태다. 오랫동안 기다려 겨우 줄의 앞부분에 도달했는데 순간 바로 앞쪽에서 소란이 일어났다. 그 줄에 서 있던 연은 소란의 진원지인 매표소 창구를 바라보았다. 한 아시아인 남성이 영어를 거의 하지 못해 장거리 여행 버스표를 사는 데 한참 꾸물거리는 중이다. 그 아시아인은 언어 번역 기능이 있는 휴대 전화기만 믿고 왔는데 하필 배터리(battery)가 그때 방전되었다. 그 줄 중간에 서 있는 남성이, 영어도 못 하면서 왜 아시아인이 혼자 왔냐고 타박하자 그의 주변에 있던 군중이 폭소(爆笑)했다. 연의 눈에조차 그는 한심(寒心)해 보였다. 몸을 움직일 수 있는 한, 영어로 말할 수 없다고 표를 구매하지 못하지는 않기 때문이다. 오히려 연은 영어로 단 한마디도 안 하고 무언극을 하듯 신체 언어(body language)로 소통할 수 있다고 여겼다. 왜냐면 그것도 또한 언어기 때문이다. 문제는 그 동양인이 혼자였고 영어로만 말해야 한다는 두려움에 사로잡혔다는 데 있다. 동양인은 통상 서양인처럼 신체 언어를 자주 사용하지 않는다. 그들은 그게 천박하다고 생각하나 보다. 사실 그렇지 않은데.

연의 차례가 돌아왔을 때 군중의 시선이 그에게 모두 쏠렸다. "쳇!" 그들의 시선을 의식한 연은 최소한 필요한 말만 해 그가 할 수 있는 한 빨리 편도(片道) 버스표를 40유로에 샀는데, 그건 거기서 가장 빠른 표 구매 기록이 되었고, 그의 유럽 특유의 느긋한 스타일 추구는 그 공연한 소란 때문에 물거품이 되었다. 구매한 버스표를 들여다보니 버스 출발 시간이 저녁에 가까운 늦은 오후였다. "런던 한 바퀴 돌아 볼 시간이군!"

요즘 사람들은, 무모한 계획으로 이리저리 다니는 연과는 다르게 인터넷으로 예약해 시간을 절약한다. 하지만 문제는, 그들이 항상 정형화된 경로로만 간다는 사실이며 그건 철저히 자기 계획을 제외한 우발적 사건이나 숙명(宿命)적인 만남까지도 배제해 버린다. 연은 빡빡하게 꽉 찬 일정대로 진행하지 않고 육감으로 행동했다. 다른 사람의 눈에 그는 때로 경홀(輕忽)히 행동하는 될 대로 되라는 식의 사람이지만 연의 목적은 여행 그 자체가 아닌 단순 인간관계를 넘어 전 세계의 통합이었다.

그의 짐과 개인 소지품을 안전하게 보관하려 9파운드를 내고 역에 맡긴 후 연은 홀가분한 마음으로 런던을 유람하러 나갔다.

〈야누스〉

역의 벽에는 다음과 같은 표지가 붙어 있었다, "길거리에 담배 꽁초를 던지지 마시오. 꽁초 무단 투기 시 우리는 당신을 기소하겠습니다." 연은 바로 그 벽 앞 꽁초투성이인 길거리에서 손으로 가느다랗게 만 담배를 피우는 여성과 말뿐인 표지를 번갈아 보며 킬킬거렸다. 그런데 연이 그녀를 지나칠 때, 어떤 향이 그를 기분 좋게 했다. 대마초가 든 ^{xxxix}궐련(卷煙)이다! 연은 웃음을 터뜨렸다.

환히 트인 복도에서 그가 버스표를 사기 전에 보았던 두 명의 흑인 청소부가 긴 의자에 앉아 도시락통을 꺼내 식사하고 있었다. 그러다 그들 중 한 명이 연을 훑어보았다, "꺼져! 너에게 줄 음식 없으니까!" 그는 연에게 손을 흔들어 쫓아 버리듯 소리쳤다. 그 흑인의 반응은 기분이 언짢아 내는 짜증 그 자체였다. 이유 없이 거지 취급을 당한 연은, 싸움을 좋아하진 않았지만, 일시적으로 불끈하여 이성을 잃고 광포(狂暴)해졌다, "바보 자식 같으니라고! 날 거지로 봐 웃음거리로 만들어? 너, 내 속의 원초적 카인(Cain)

을 불러내고 싶냐?[xl] 어? 지금 스스로 무덤 파 네 자양분으로 무덤 위에 데이지(daisy)꽃 키우게?[xli] 그 말 취소해! 그렇지 않으면 진짜 확 비료로 갈아 버린다!" 그는 증오에 찬 눈으로 그 흑인을 노려보았다.

앉아서 밥을 먹던 흑인은 놀라 눈이 휘둥그레져 올려다보았는데 그와 눈이 마주치자 곧 시선을 돌리고 쥐 죽은 듯이 식사를 계속했다. 기분이 상한 연이 떠나려고 할 때 그곳 한쪽 구석에서 넝마를 걸친 걸인(乞人)을 마주하고는 그가 왜 그랬는지 조금이나마 이해했다, '하지만 지금 나의 단정한 옷차림은 어떻게 된 건데?'

연은 바로 앞 과일 가게에서 바나나(banana)와 탄제린(tangerine) 귤(橘)을 사서 자선(慈善)할 셈으로 거지에게 주었다. 굳이 돈이 아닌 식료품을 사서 준 이유는 가짜 거지에게 속아 넘어가지 않기 위해서이기도 했다.

〈왕궁〉

"때울 시간이 넘쳐나는구나! 느긋하게 발길 닿는 대로 돌아다녀야겠다."

연은 도심부에 있는 런던 빅토리아-역(London Victoria station)에 들렀다가 그곳의 1층 요리점에서 간단하게 2.89파운드에 허기를 달래고, 2층으로 올라가 예전에 최신 유행품을 파는 작은 가게에서 보았던 스카프 두 개를 5파운드에 샀다.

밖으로 나와 정처 없이 걷던 중에 그는 한 남성이 ^{xlii}개스트로펍(gastropub)에서 가지고 나온 ^{xliii}'1야드(^{xliv}yard)짜리 긴 잔'으로 맥주를 마시는 광경을 목격했다. 야구 방망이 같은 맥주잔을 처음 본 그는 잠시 멈춰 구경했지만, 곧 그 광경을 뒤로하고 무작정(無酌定) 다시 걸었다. 그러던 도중 연은 거대한 왕궁을 발견했는데 바로 버킹엄 궁전(Buckingham Palace)이다. 놀랍게도 지도도 없이 그는 마치 자기 집인 양 곧바로 도달했다. 사람들은 보통 미리 교통 정보를 얻지만, 연은 그저 직감에 따라 행동해 찾아냈다. 런던이 작은 마을이 아닌 실정(實情)을 고려해 보면 놀라운 일이지만, 정작 본인은 그저 순전히 운이 좋았다고 생각했다.

궁궐 오른쪽 넓고 탁 트인 잔디에는 많은 사람이 깔개 위에서 화창한 날씨를 즐기고 아이들은 뛰어놀고 있다. 연은 빈자리를 찾아가 잔디밭 위에 대자(大字)로 누웠다. 그리고 얇은 "덧웃옷"을 그의 얼굴에 덮은 채 화창한 오후를 겉잠으로 보내고 있었다. 얼마 후 그가 눈을 떴을 때, 불과 몇 미터 떨어진 곳에서 몸매를 과시하는 두 소녀가 태양 아래 일광욕을 하는 중이다. 배를 깔고 엎드려 누운 여성은 상의는 물론 브래지어(brassiere)까지 모조리 탈의한 상태로 책을 읽고 있었다. 그는 얼떨떨했지만, 곧 침착함을 되찾고 주위를 둘러보았다. 주변에는 그녀들과 연을 제외하고는 아무도 없었고 그는 그냥 운이 좋았다고 생각하고 그 멋진 소녀들을 황홀히 쳐다보았다. '글쎄, 적어도 그들이 근본적으

로 거만하여 잘 사귀려 들지 않는 영국 소녀가 아니라는 사실은 분명해!'

돌연 거리가 떠들썩하였고, 인근은 그가 이전에 보지 못했던 인파로 둘러싸여 있었다. 연은 군중 속을 천천히 헤치고 왕궁의 정문 쪽으로 나아갔다. 버킹엄 궁전 안에는 의례(儀禮)를 행하는 검은 털가죽 모자를 쓴 근위 보병 제1연대의 병사들(Grenadier Guards)이 일제-축포(一齊祝砲)를 연달아 쏘며 집총 훈련(執銃 訓鍊)을 수행 중이고, 궁전 바깥에는 기병(騎兵)으로 구성된 왕실 기마대가 빅토리아 기념비(Victoria Memorial)를 지나가고 있었다. 행진이 끝나갈 무렵 선봉(先鋒)의 거대한 말이 같은 쪽의 "앞-뒷발"을 동시에 들어 천천히 연 쪽으로 걸어 오더니 멈췄다. 처음에 연은 말의 크기에 놀라 다소 압도되었으나 곧바로 침착해졌고, 병사들이 집합해 정렬하는 틈을 타 손을 뻗어 그 커다란 흑갈색 말의 콧등을 쓰다듬었다, "나는 네가 내 말이었으면 좋겠다, 친구!" 기사(騎士)도 아닌 그의 돌발 행동은 특정 상황에서 자칫 잘못하면 말에 의해 물리기에 충분할 정도로 위험할 수 있었지만, 운 좋게도 그 말은 그에게 위해를 가할 정도로 악의는 없다고 느꼈는지 코를 연의 손에 문질렀다. 그때 말 등에 앉아 있던 ^{xlv}현장(懸章)을 두른 군인이 ^{xlvi}사뜻하게 경례했다. 잘했어, 연! 괴물처럼 큰 말을 조련(調練)하다니 대단한걸!

짐도 없고 남은 시간도 여유로운 연은 가벼운 마음으로 1.5파운드짜리 코카콜라를 홀짝홀짝 마시며 빅토리아 장거리 여행 버

스 역으로 돌아오다가, 도중에 26유로를 20파운드로 추가 환전
했다.

버스는 아일랜드의 에어런버스처럼 간이 화장실이 없었기 때문
에 출발하기 직전에 연은 한 번 더 장(腸)을 비웠다. 화장실 안
에서 20페니짜리 볼일을 보던 그는 문득 런던 ^{xlvii}"템즈
(Thames)강" 건너편에 있는 ^{xlviii}"탑 다리(Tower Bridge)"가
보고 싶었다. 일단 둔부 ^{xlix}도개교(跳開橋) 양 볼기부터 여시고
요, 작동 "푸(Pooh)"! 그 유명한 도개교는 확실히 연의 관심사
중 하나였지만 그는 밤까지 기다려 그 ^l"푸~쇼"를 볼 여유 없이
바로 버스로 아일랜드에 가야 했다. 그래도 출발하려면 여전히
시간이 많이 남아서 그는 도심지 바깥으로 향했다.

연이 어느 연못을 지나갈 때 몇몇 어린 소녀와 어린애가 ^{li}사다
새 한 마리와 비둘기들에게 모이를 주고 있었다. 모이가 다 떨어
졌을 때 느닷없이 펠리컨(pelican)이 비둘기 중 한 마리를 꿀꺽
삼켜 버렸다. 분명 한입에 삼키기엔 너무 버거워 보였고, 그 비
둘기는 아직 살아서 목 주머니 안에서 몸부림치고 있었다. 얼마
후, 사다새는 완전히 비둘기를 삼켰고 그 게걸스러운 식욕을 충
족시켰다. 그러자 사람들은 놀라 그 자리에서 얼어붙었다. 이곳
은 도대체 뭐지? 스코틀랜드엔 피터 팬(Peter Pan), 영국엔 호
빗(Hobbit)과 해리 포터(Harry Potter), 이젠 비둘기 먹는 펠리
컨이야?

역으로 돌아와 버스에 막 올라타려는 때에 연은 누군가 뒤에서

말을 거는 느낌에 돌아보며 응대했다, "실례합니다." ‒ "암, 그러시죠!" 그러고 나서 연이 별다른 행동 없이 다시 고개를 홱 돌리자 그제야 상황을 알아챈, 띠가 달린 품 넓은 긴 얼스터(ulster) 외투를 입은 아일랜드 남성은 연이 무의식중에 저지른 실수를 지적(指摘)했다, "'익스큐즈 미(Excuse me).' 말인데, 청년은 억양이 잘못되었소. '익스큐즈 미(Excuse me)?'가 옳은 표현이오." 연은 고개를 끄덕였다, "알아요. 그냥 기진맥진(氣盡脈盡)해서 그래요." 그 순간, 어떤 영국인 버스 운전사가 그의 뒤에서 소리쳤다, "좋아, 너희들 나라로 가라고, 아일랜드 촌뜨기들!" 그러자 군중 속 누군가가 응수(應酬)했다, "너부터 꺼지라고, 런던내기(Cockney)!" 연은 뒤돌아보고 버스 운전수가 자신과 그 남자에게 말했음을 알아차리고 웃었다. 왜냐면 연이 아일랜드 억양으로 얘기했기 때문이다.

잉글랜드(England), 스코틀랜드와 아일랜드의 관계는 좀 복잡하다. 지금은 영국‒연합‒왕국(United Kingdom)에 포함되지만, 잉글랜드와 스코틀랜드는 영국‒스코틀랜드 국경(Anglo-Scottish border)과 ^{liii}계쟁지(係爭地) 등에서 수 세기 동안 교전해 왔고, 연합‒왕국과 아일랜드는 ^{liii}'북아일랜드 분쟁'에서 분란에 휩싸여 지금까지도 서로 불화한 듯 보인다. 이제 국가 간 충돌이 잠잠해지기 시작했으나 그들의 마음속은 여전히 전쟁 중이었다.

〈아일랜드를 향해 돛을 올리다〉

아일랜드 더블린행 버스가 드디어 출발했다. 종일 돌아다닌 그가 곯아떨어져 있는 동안 버스는 몇 시간을 계속 달려 북잉글랜드(Northern England)에 도달해 휴게소에서 정차했다. 연은 그곳에서 튀긴 닭을 저녁으로 먹은 후 2유로를 내고 작은 주스 팩(pack) 두 개와 2리터(litre) 물통을 들고 버스에 올랐다. 바깥은 빛이라곤 전혀 없는 암흑이라 그는 창밖의 사물을 분간(分揀)할 수 없었다. 한밤중에, 연 일행은 북서-잉글랜드에 있는 어느 항구에 도착했다. 종전(從前)의 유로라인즈처럼 영국 버스도 연락선에 선적(船積)하였고 연은 에일 한 잔을 홀짝거리며 시간을 보내고 있었다. 그가 페리에서 한 이상한 소녀를 만났을 때는 자정을 넘기고서였다.

배 휴게실에서 어느 핀란드 처녀가 소파에 앉아 노키아(Nokia) 휴대 전화로 테트리스(Tetris) 비디오 게임을 하고 있다. 20살이며 자기 이름을 아이노(Aino)라고 소개한 그녀는 핀란드에서 왔고, 그녀의 부모가 물심양면 지원해 준 덕택(德澤)으로 어린 나이에 몇 개월 전 맨체스터 대학을 졸업했다고 했다. 대화 중간에 연은 아이노한테 술을 가져오기 위해 그곳에서 10미터 남짓 떨어진 바에 간다고 양해(諒解)를 구하고 잠시 자리를 떴다. 그는 스텔라(Stella) 맥주 1파인트와 칵테일을 주문하는 와중에도 아이노에게서 눈을 떼지 않고 있었다. 바의 등 없는 걸상에 앉아 도수 높은 제임슨 아이리시 위스키(Jameson Irish Whiskey) 몇 잔에 취해 버린 아일랜드 중년 남성이 짓궂게 연을 보고 씩 웃었다, "이보게 자네, 저 여자랑 '쏙쏙이(jiggy-jiggy)'하고 싶어서 그러지?" 연은 그 의미가 뭔지 정확히 몰랐음에도 본능적으로 느끼고 당황해서 얼굴이 붉으락푸르락해졌다, "쏙쏙이가 뭔데요?" – "그건 자네가 그녀와 잠잘 때 내는 아일랜드 의성어지." "제가 알기론 그런 아일랜드 단어는 없을 텐데요."

연이 아이노에게 돌아온 후에 칵테일을 권하자, 그녀는 술을 마시지 않는다고 거절했다. 그러자 망설임 없이 그는 자기 목구멍에 칵테일을 털어 넣었다. 같은 공간에 계속 함께 있는 동안 그들은 친해졌고, 시간이 흐르면서 오히려 멀쩡한 소녀가 취한 연보다 더 대담해졌다, "당신은 핀란드만 빼고 스칸디나비아 전역을 돌아다녔어요. 왜?!" 아이노는 마치 자신이 그를 오랫동안 몰래 쫓아다닌 팬(fan)이라도 되는 듯 푸념했다. 화들짝 놀란 연은 아이노에게 말하지도 않은 사실을 어떻게 알고 있냐고 묻고 싶었지만, 일단 그녀의 질문에 대답했다, "내가 스웨덴, 노르웨이, 덴마크를 좋아한다는 사실 자체가 단순히 핀란드를 싫어함을 의미하지는 않아요." – "핀란드 사람이 아름답게 생기지 않아서가 아니고요? 난 금발이 아니에요. 봐요, 난 은발이라고요. 당신은 금발을 좋아하잖아요, 네?" "글쎄요. 아프로디테(Aphrodite)를 글자 그대로 말하면 '거품에서 일어난'이란 사실을 아나요? 내 방식대로 해석해 보자면, 보이면 거품이고, 수많은 방식으로 변화하죠. 반면에 들으면 진실이지만, 너무 어려워 완벽해질 수 없

48

어요. 당신의 '백금발'은 나한테 꽤 괜찮아 보입니다." – "정말요? 나에 관해 말하자면, 난 정확히 '백금발'은 아니에요. 난 내 머리가 끔찍이 조잡해 보여 싫어. 그리고 연! 당신은 위선자야. 내 생각으론 연 당신은 시각적으로 심미적(審美的)이야!"

그녀가 뜨거운 눈물을 흘리며 펑펑 울자 반박하려던 연은 더 이상 말을 이어갈 수 없었다, '도대체 무슨 일이 우리에게 일어났나?!'

연락선이 항구에 들어오는 동안 뱃전 난간에 기대어 먼 곳을 주의 깊게 살펴보던 연은 뛰어난 시력으로 일반 사람에게는 보이지 않는 저 멀리 일렬로 늘어선, 영양실조에 걸려 앙상한 사람들의 조각상을 바라보고 있었다. 버스가 뭍에 내리기 전까지 뇌리에서 떠나지 않을 정도로 그 비참한 아일랜드인의 표정은 무척 인상적이었다.

연락선이 정박한 아일랜드의 더블린 항구 근처에서 연은 예기치 않게 핀란드 소녀 아이노와 또 마주쳤는데 그녀의 얼굴은 기묘하게 기쁨과 부루퉁함으로 뒤섞여 있었다. "어디에 주로 있을 예정이야, 아이노?" – "호텔." "좀 비싸지 않아?" – "난 너처럼 여기 오래 안 있어." "내가 숙소까지 동행해 줄까? 응?"

연의 요청이 적극적이다 못해 과감해 아이노의 얼굴에는 놀란 기색이 보였다. 그를 좋아했던 그녀는 오래 망설이더니 결국 짧게 거절했다, "아무래도 안 되겠어." – "그럼, 음, 행운을 빌어. 안녕!" 그를 몰래 따라다녔던 소녀와 바람둥이 소년의 색다른 관계가 그렇게 허무하게 끝나는 듯 보였다.

연은 무거운 검은색 캐리어 천-가방을 질질 끌면서 인근의 "청소년 여관"을 향해 터벅터벅 걷고 있다. 더블린은 육상 길잡이로서 더블린 첨탑이 있는 데다 [liv]마천루(摩天樓)가 없다시피 해 길을 찾기 매우 쉽다. 때는 늦은 봄, 연의 몸은 무거운 짐을 끌고 가느라 땀으로 뒤범벅이 되었다. 저번에 그가 잠시 묵었던 "청소년 숙박소"는 도보로 30분 거리에 있다. 그나마 다행으로 낮은 온도가 그의 불쾌감을 누그러뜨렸다. 숙박소에 도착해 투숙하려 하니 접수대에 있는 헝가리 청년 직원이 이전 가격의 1.5배나 높은 숙박비를 요구해 연은 심기가 상했다. 왜냐면 유럽 연합이 기본적으로 가격 시스템을 안정적으로 유지하여, 가격이 심하게 변하는 일은 드물다는 사실을 알고 있기 때문이다. 오랜 여행으로 피곤한 그는 가격을 협상(協商)하려 입씨름하기도 힘들어, 일단 숙박 절차를 밟으면서 근방에 있는 다른 "청소년 숙박소"의 위치를 물어보았다. 짐을 끌러 필요한 물품만 우선 꺼낸 후, 그제야 한숨 돌리며 주변을 둘러보던 연은 요전에 만난 호주 연인 한 쌍을 휴게실에서 보고 소리쳤다, "안녕!" – "안녕!" "오랜만이야, '호지'. 어떻게 지내?" – "유감이지만 당신은 우리를 다른 사람이랑 착각한 모양이네요. 우리는 미국인이에요." 그가 가까이 다가가 보자, 그들은 나이가 더 들어 보인다. "어?! 무슨 일로 [lv]'치즈 가이(Yankee)'들이 이곳 아일랜드까지 온 건가요?" – "우리는 관광객이라기보다는 탐험가인데 잠깐 여기에 들렀습니다. 남반구 호주에서 미지의 동식물군을 찾으러 3주간 오지를 돌았죠. 그러고 나서 미국에서 2주 동안 다음 탐험을 준비한 후 더블린을 경유하면서 잠시 머문 겁니다. 좀 기진맥진하지만 내일 날이 밝는 대로 그린란드(Greenland)를 거쳐 북극권으로 더 깊이 들어갈 예정이에요. 우리는 반드시 해낼 겁니다!" "정말 놀랍네요! 호주에서 남극광인 남쪽 오로라를 본 적도 있나요?" – "예, 운 좋게 우연히." 그들의 성공은 실력보다 운에 가까웠다고 할 정도로 힘든 여정이었다고 한다. "우아! 이번에 북극 가면 북극곰, 북극여우 그리고 [lvi]'시체고래(narwhal)'까지 볼 수 있겠네요." – "글쎄, 우리가 운이 좋다면 그럴 수 있겠죠." "와, 대담무쌍해요! 성공을 빕니다!" – "당신에게도 신의 가호가 함께하길! 그리고 실례지만, 우리는 지금 후딱 '베이컨–상추–토마토 샌드위치(BLT)' 만들 준비를 해야 해요. 자기야, 서둘러 떠나야 해. 꾸물거릴 시간이 없어!" 그렇게 그들은 떠나갔다.

다음 날 아침 연은 예전처럼 지하실 식당으로 내려갔다. 아침 식사는 시리얼, [lvii]오트밀(oatmeal), [lviii]콘–플레이크(corn flakes), 우유, 달걀, 빵, [lix]배넉(bannock), 그리고 여러 종류의 [lx]소채(蔬菜)로 예전보다 가짓수가 약간 늘긴 했다. 당연히 예상한 대로 특식이나 고기는 없었다. 구미가 당기지 않는 귀리죽을 바라보며 그는 해기스(haggis)와 핫–케이크(hot cake)의 일종인 스콘(scone)이 먹고 싶었다. 달걀을 깨뜨려 [lxi]수란짜(水卵–)에 담아 끓는 물에서 3분간 반숙해 만든 수란과 우유로 간단히 아침을 때운 뒤, 연은 아침 식사를 제공하는 [lxii]B&B 간판이 걸려 있는 민박집을 보러 밖으로 나갔고, 고가—도로(高架道路) 아래에 있는 어느 칙칙한 "청소년 여관"에 도달했다. 그곳에는 체구(體軀)가 건장한 중년 남성이 접수대에 서 있었다. 연은 숙박 조건에 관해 문의했다, "다른 곳처럼 여기도 가격이 변동합니까?" 중년 남성은 무뚝뚝하게 연을 쳐다봤다, "절대로 그렇지 않소!" 연이 숙박 절차를 마치자 곧바로 그 우락부락한 남성이 그가 묵을 방을 알려준다, "저기 건너편 뒷문으로 통과해 똑바로 나가면 당신이 묵을 방이 있소." 그의 말대로 문밖으로 나가자 지하로 통하는 계단이 있어서, 연은 망설임 없이 그곳으로 내려갔다. 하지만 객실 번호가 틀린 4로 시작해 전혀 일치하지 않았다. 뭔가 이곳이 아닌 듯한 느낌에 찜찜했지만, 확실히 하기 위해 그는 위생 상태가 조악한 지하 복도를 따라 계속 나아갔다. 방마다 문이 조금씩 열리어 있어 그가 한 방문을 활짝 여니, 그곳에는 너덜너덜하게 해진 침대와 잡동사니가 더러운 상태로 나뒹굴고 있었고 어디선지 모르게 날아 온 고엽(枯葉)이 방안을 맴돌아 아무도 그곳에 살지 않는 듯했다. 다른 방도 마찬가지였다. 연은 무뚝뚝한 남자에게 돌아가 시설에 대해 불평했다. 그러자 아일랜드 사내가 언성을 높였다, "내가 똑바로 가라고 말했잖소! 뒷문을 열고 뒷마당을 통과하면 다른 건조물이 있고, 거기 1층 203호가 당신이 묵을 방이오." 그리고 그 사내는 [lxiii]찌무룩한 표정으로 돌아섰다.

여관의 부속 건물 왼편에 아일랜드 사내가 말한 대로 203호실이 있었다. 연은 문을 조심스럽게 조금 열었다. 방 안에는 한 폴란드 소년이 나무 곤봉(棍棒)을 왼손에 들고 잠을 자고 있었다. 씁쓸한 미소를 머금고 그쪽으로 다가가는데 소년이 갑자기 벌떡 일어났다.

"안녕! 나 여기 처음이야. 내 이름은 연이라고 해." – "어, 안녕?! 난 그렉(Greg)이야. 방문을 환영해." 그렉은 긴장을 풀지 않은 채 인사했다, "응, 이건… 최근에 폭력배(暴力輩)가 떼거리로 이 구역에 출몰해서 방망이를 쥐고 자."

그는 그곳에서 아예 자기 집처럼 눌러살고 있었다. 그렉은 물건을 어디선가 절취(竊取)해 되팔아먹고 사는 멸시(蔑視)할 만한 녀석이지만 어떤 측면에서는 불쌍한 19세 소년이다.

연은 개인 소지품을 깔끔하게 치운 후 침대에 누워 그의 막연(漠然)한 미래에 대해 곰곰이 생각하고 있다.

무쇠로 된 가정용 방열기가 창유리 옆에 있는데 그렉의 잡동사니로 어수선하고 그 위를 CV 한 장이 덮고 있었다. 그렉은 피우던 담배를 탁자에 비벼 끄고 연에게 왜 아일랜드에 왔는지 물었다. "왜 내가 잘 모르는 사람에게 그걸 털어놓고 이야기해야 하지?" – "그럴까? 그러면 넌 잘 모르는 사람이랑 살게 되잖아." 그러자 연은 자신의 이야기를 들려주었고, 사정을 들은 그렉은 연에게 그의 CV 서류를 보게 해 주었다. 연은 주욱 훑어보고 그의 모국 이력서와는 달리 CV에 사진이 없다는 점을 발견했고, 인물 사진 첨부는 인종 차별과 외모 평가 등 편견을 갖게 해 유럽에서 금지되어 있음을 알게 되었다.

그렉은 담배에 다시 불을 붙이고 있었는데 연기를 뿜을 때 담배 냄새를 압도하는 강한 향냄새가 났다. 그는 지금 피우는 담배가 [lxiv]살담배와 대마초를 섞은 마리화나 담배라고 말하며, 침대 시트(sheet) 밑에서 손바닥 크기만 한 플라스틱 지퍼 백(plastic zippered bag)을 꺼내 안에서 녹색 풀 가루를 손가락으로 조금 집더니 연에게 보여 주었다. 연이 코를 콩콩거리며 냄새를 맡자 독특한 향이 콧속을 맴돌며 좀체 사라지지 않는다. 그가 호기심 어린 눈으로 이를 바라보자, 그렉은 희미한 미소를 지었다, "향긋한 대마ー담배지, 그렇지 않아, 연?"

저녁이 다가오자, 연은 밖으로 나갔다. 단순히 허기를 가시게 하려고 맥도날드에서 치즈버거(cheeseburger) 두 개를 산 게 외출의 이유였다. 그가 돌아왔을 땐 웬 낯선 폴란드 남성이 그렉과 함께 있었다. 사내는 탈모 증상이 있고 긴 매부리코의 길쭉한 얼굴에 키가 크고 마르긴 했지만, 호리호리한 체형은 아니었다. 그는 탁자 앞 의자에 앉아 맥주를 마시고 있는데 매우 날카로운 인상을 주었다. 연은 치즈버거 한 개를 아무 대가 없이, 대마초를 피우는 폴란드 청년 그렉에게 먹으라고 주었다, "오, 먹을거리네. 고마워, [lxv]동무. 마리화나 흡연 후라 그런지 공복감이 밀려오는군." 그렉이 치즈버거를 먹는 동안 연이 낯선 폴란드 남성에게 자신을 소개하며 손을 내밀었다. 그러자 그 젊은 남성은 벌떡 일어나더니 힘차게 악수했다, "어, 난 폴란드에서 온 트럭(truck)

운전수 파벨(Pavel)이라고 해." 말하는 도중에 드러난 이는 서로 사이가 약간씩 벌어져 있었다. "만나서 반가워. 이런, 당신 손이 '더럽게 크군요(dirty great)!'" 연은 기분 좋게 그를 맞이했다. 그런 연을 보며 파벨은 맥주 한 캔을 그에게 건넸다. 맥주를 함께 마시며 그들은 마치 오래전부터 죽마고우인 듯 급속도로 친해졌다. "난 음주 운전 사고를 이유로 보따리를 쌌지. 그래서 당분간 다시 운전할 수 없게 되었어. 그나마 고용 보험으로 실업 급여를 받고 있어서 내 운전면허증이 다시 유효해져 직업을 되찾을 때까지는 버틸 수 있어." 하지만 2주에 300유로는 자력으로 살기에 충분치 못하다.

이번에는 연이 그의 이야기를 하자 파벨은 그에게 PPSN을 받으라고 권했다. 'PPS No'는 개인 공공 서비스 번호(Personal Public Service Number)로서, 일을 하거나 세금을 낼 때, 그리고 복지 같은 사회적 혜택을 받으려면 꼭 필요하다.

파벨은 술고래에 흡연자지만 그렉과 달리 대마초를 피우지 않았다. 그는 어떤 때는 괴짜였지만 또 어떤 때는 분별 있고 더블린을 속속들이 잘 알고 있었다. 파벨은 그렉처럼 살지 않았고 자신만의 확고한 신념을 가지고 있어서 다른 어떤 유혹도 아이러니하게 그 [lxvi]모주망태를 망가뜨리지 못했다.

파벨이 담배에 불을 붙이기 전에 무엇을 하려는 듯 연을 바라보았다, "그런데 문제는 우리 방에 있는 연기 탐지기야. 하지만 내가 이렇게 쓰레기봉투로 덮어씌우면 경보가 울리지 않고 골칫

거리는 사라지지." 그는 의자에 올라서서 화재 경보용 연기 감지기를 쓰레기 봉지로 덮어 감쌌다.

칸나비스 담배를 말면서 그렉은 그가 마리화나를 처음 흡연했을 때 첫 연기를 빨아들이는 순간, 그를 제외하고 시간이 쏜살같이 흘러갔다고 설명해 주었다. 그 이야기를 들은 연이 뭔가 알았다는 듯이 손뼉을 쳤다, "아! 그래서 사람들이 멍해진 경험을 lxvii'석화(石化)'된다고 표현하는구나!" 그렉은, 평상시라면 확신을 가지고 지났을 건널목을 건너지 못할 정도로 교통 신호 시간이 짧아지고, 차들이 광란의 질주를 하며, 매우 희미한 소리가 이따금 급격히 선명하게 들리듯 느껴졌다고 전했다. 마침 그때 열차가 그들이 묵는 여관 위의 선로를 지나갔다. 연은 그렉의 설명에 궁금해져서 그가 만 마리화나에 불을 붙여 한 모금 빨았다. 그러나 그는 그렉이 말한 증상을 경험하지 못하고 그냥 축 늘어져 얼빠진 바보처럼 웃기만 했다. 사실 그건 대마 흡연 초기 단계의 증상이다. 곧이어 그는 온몸의 세포 하나하나가 깨어나는 느낌을 받았다.

"마리화나 파는 짓이 그렉 너의 부정한 돈벌이 방법이냐, 응?" – "알 게 뭐야?! lxviii가르다(garda) 경찰조차 조금도 개의치 않는데 뭘. 오히려 한술 더 뜨던데? 어느 날 경찰 한 명이 내가 대마초 피우는 현장을 보더니 그다음에, 그가 나에게 뭐라고 말했는 줄 알아? '오, 참 향기로운 냄새네. 나도 한번 해 보자.' 그리고 나한테서 마리화나가 든 궐련을 뺏어가 뻐끔뻐끔 피우는 거야.

아하하!"

그렉은 강력한 마약이 아닌 대마초를 즐겨 하는 능숙한 마약상 이었다. 그는 어느 날 돌연 깨달음을 얻어 직관적으로 진실 파악 을 했다며 연에게 장황하게 그의 의견에 관해 열변을 토했다. 요 지(要旨)는, 중독을 고려한다면 담배가 마리화나보다 오히려 마 약에 더 가까우며, 이따금 피우는 마리화나 담배는 아편제(阿片 劑)같이 진통제나 치료－약(治療藥)과 같다는 주장이다. 파벨이 그런 그렉에게 한소리를 한다, "오, 그만 좀 해, 그렉. 넌 그냥 자 기 합리화하고 있을 뿐이야." － "난 자기 합리화 안 한다고!" 연 은 어느 누구에게도 전에 그런 말을 들어 본 적이 없었지만 그렉 의 주장이 궤변인지 확신할 수 없었다. 그러나 한 가지는 확실했 다, "툭 터놓고 말할게. 내가 마리화나 담배를 피웠을 때, 얼뜨기 같이 계속 웃게 돼서 개인적으로 매우 곤란했어."

그들과 연의 생활이 그렇게 시작되었다.

그렉은 연이 웃을 때마다 종종 그의 눈을 보며 놀리곤 했다, "야옹!" 연은 크게 개의치 않고 농담으로 받아들였다, "재밌군! 뭐, 'lxix편도(扁桃)－눈'보단 낫지."

그렉은 능구렁이 lxx도부꾼(到付－)이었다, "나한테 10유로만 빌려줘. 금방 돌려줄게." 왕왕 연에게 소량의 마리화나가 든 담 배를 한 개비씩 줄 때마다 그런 말을 하며, 그 폴란드 소년은 교 묘하게 돈으로 교환했다. 그게 바로 연과 금전 문제를 청산하는 방법이다. 그렉은 그 이후로 그에게 돈을 갚은 적이 없었다.

시가(市價)가 얼마지? 글쎄, 미합중국에서는 ^{lxxi}니켈 백(nickel bag)이라고 부르던데. 5달러어치를 몇 배를 받고 파는 거야, 그렉?

***

제8장 새로운 시작

〈PPSN〉

어느 날, 연의 고국 대통령이 하사(下賜)한 손목시계가 고장 났고, 설상가상으로 시곗줄까지 찢어져 두 동강이 났다. 그 현상은 어떤 불길한 전조를 암시했다. 뭔가 안 좋은 일이 곧 닥쳐올 모양이다. 이력서인 CV를 인터넷 카페에서 작성하는 도중에 연은 우연히 본 뉴스(news) 속보에 대경실색(大驚失色)했다. 그의 대통령이 자살했다는 내용이 각종 외신의 주요 헤드라인(headline)으로 떠 있었다. 뜻하지 않은 대통령 서거(逝去) 특보는 연에게도 충격인 듯 그는 꼼짝하지 않고 그 자리에 돌처럼 굳어 있었다. '정신 차리자!'

중국인인 인터넷 카페 주인에게 가서 재확인하자, 그는 연을 위로했다, "그에 대해 참 유감이네요. 애도를 표합니다. 적지 않은 당신 동포들이 대통령 자살로 괴로워하겠군요." – "글쎄, 어느 [lxxii]도당(徒黨)이 음모를 꾸며 그를 자살하게 하지 않았을까요? 왜냐면 그 치욕적인 르윈스키 스캔들(Lewinsky scandal) 사건에서조차 빌 클린턴(Bill Clinton) 대통령은 자살하지 않았기 때문입니다, Péngyǒu([lxxiii]朋友)." "Pēngyǒu(烹友)?"[lxxiv] – "욕으로 들렸다면 미안합니다. 내가 발음을 잘못했어요. 하지만 난 'Péngyǒu(朋友)'를 의도했습니다." 그러자 인터넷 카페 주인은 호탕하게 웃어넘겼다.

여관으로 돌아온 연은 아그니에슈카(Agnieszka)라고 불리는 폴란드 여직원의 도움으로 PPSN에 필요한 모든 서류를 구비(具備)할 수 있었다. 겉보기에 그녀는 만사에 초연(超然)한 듯했으나 그에게 매우 도움이 되었다. 아그니에슈카는 연에게 어떻게 하면 개인 공공 서비스 번호를 얻을 수 있는지 상세하게 알려 주었고, "사회－보호부(Department of Social Protection)"에 가는 길까지 안내했다.

연이 그곳에 도착했을 때 벌써 사람들이 건물 밖에 길게 줄을 이루고 기다리고 있는데 얼마 전 독일에서의 상황을 연상케 했다. 그의 차례가 되자 연은 미리 작성해 준비한 서류를 제출하였지만, 담당 공무원은 그에게 당장 개인 공공 서비스 번호를 발행하지 않았다. 그러고는 연에게, 규정상 우편(郵便)으로 보내야 하므로 그의 PPSN을 받으려면 일주일 정도 걸린다고 말했다.

돌아오는 길에 마주친 밝은 색깔의 유치원복을 입은 아이들이 가르다 제복(制服)을 입은 나이 많은 남성을 졸졸 따라가고 있었다. 그는 막대사탕인 ^{lxxv}"롤리폽(lollipop)"같이 생긴 "교통—지시판"을 들고 있다. 도대체 ^{lxxvi}"롤리폽—맨(lollipop man)"이야? ^{lxxvii}"폴리폽—맨(Polipop man)"이야?

(친애하는 존)

지난밤 한 쌍의 연인이 그렉, 파벨 그리고 연이 살고 있는 "남자 동굴(man cave)"에 살금살금 걸어 들어왔다. 연이 묵은 이래 누가 온 건 그들이 처음이다. 그들은 잠만 자려고 체크인한 듯 새벽에 쥐도 새도 모르게 떠났다. 공교롭게 그날 아침 한 남성이 또 들어와 그들의 소굴(巢窟)에 합류하게 되었다. 그는 존이라 불리는 영국 소년이었다. 존은 나무랄 데 없이 훌륭했다. 단 한 가지만 빼면. 그건 바로 말을 더듬는 버릇이다.

그렉은 존 보고 들으라는 듯이 연에게 의식적으로 말했다, "연, 넌 박사(博士) 같이 또박또박 말해." — "뭐라고?" "의학 박사 말고 일반 박사. 넌 무슨 발표 하듯이 명료하게 발음한다고!" — "그 입 좀 다물어 줄래, 그렉? 나한테 아양 떨다니 너답지 않아. 혹시 너 나 모르게 '나불나불 돌'에 입이라도 맞췄어? 어쨌든 말이라도 고마워. 칭찬으로 받아들이지." 연은 뒤돌아 존에게 묻는다, "존, 넌 이곳이 끔찍이 지겹지 않아? 어울려 애무하거나 ^{lxxviii}'쌕쌕이(shag)'할 여자 친구도 없고, 오락 기기는커녕 심지어 시간

때울 텔레비전도 없어. 그리고 네 영국의 루(Lou), 미국 친구 존 (John)은 혐오감(嫌惡感)을 일으킬 정도로 불쾌해.^{lxxix} 정말 정 떨어지지 않니?" – "저– 저– 저– 아니. 난– 난– 그런 존이란 이름의 미국 친구가 어– 어– 없다고. 내가 존이야." "아니, 그게 아니야. 연은 '화장실'을 의도했어, 알겠어? 그건 그저 의인화(擬 人化)한 해학(諧謔)일 뿐이라고, ^{lxxx}'존 불(John Bull).'" 보다 못 한 그렉이 끼어들었다.

영국에서 온 그 소년은 일자리를 얻으려고 이곳까지 왔다고 했다. 하지만 또 다른 목적을 염두(念頭)에 두고 있었다, "저– 저– 저, 난 내– 내– 내– 내가 보고 싶은 영국 인기 배우인 키이라 나이틀리가 이곳에 최근 왔다는 소문을 들었거든." – "그래? 난 그런 소리 못 들었는데. 그녀를 닮은 누군가를 보긴 했는데 호주 에서 왔다고 했어." "그래서? 그– 그녀는 그 ^{lxxxi}대척지(對蹠地) 에서 왔대? 그러면 그녀가 아니네." – "존, 너 그녀랑 하고 싶지? 그렇지?" "아– 아– 아– 아– 아– 아니야!"

해가 중천(中天)에 뜬 대낮부터 연 일행은 술을 마시기 시작했 고 존은 그런 그들을 순박한 웃음을 지으며 바라만 보고 있었다. "한잔하러 낄래, 존?" – "아니, 아냐, 나– 나– 난 저– 저– 술 을 안 마셔." "음, 그러면 '11시차(^{lxxxii}elevenses)'는 어때, 존?" 연이 찻잔을 존에게 건넸다, "뭔 일 있어?" – "나– 난 내가– 내 가 덜떨어졌다고 여겨." "오, 그만 해, 존. 넌 덜되지 않았어. 오 히려 영리한걸." – "그– 그러나 나– 난 다른 사람처럼 마– 말할 수가 없어, 연.""제발, 네 말 더듬는 문제로 고민하지 마, 존. 넌 입이 개똥이 아니야! 이 말이 네게 위로가 될지는 모르지만, 넌 본토박이 영국인이고 난 아니야. 내가 보기에 발음하는 데 있어 네 문제는 그냥 TV가 '치지직거리는' 잠깐의 기술적 어려움 정도야. 왜냐면 너의 영어 듣기 능력과 뇌는 나랑 급 자체가 다르거든. 말하기에서 때때로 나도 엉망일 때가 있어. 심호흡하고, 처음부터 천천히 그리고 분명하게 말해 봐. 절대로 한 번에 네 머릿속의 수많은 단어를 말할 수 있다고 생각해서는 안 돼. 신이 아닌 이상 입 한 번 뻥긋하면 모든 말이 동시에 정확히 쏟아져 나오기는 불가능함을 항상 명심하고, 일단 하나씩 차례로 생각하고 말할 수 있다면 그 뒤론 일사천리(一瀉千里)야."

저녁을 먹으러 가는 길에 연은 팔자 콧수염을 한 스코틀랜드 사람을 안뜰에서 마주쳤는데 그는 짧은 스커트(skirt)인 킬트(kilt)를 입고 격자무늬의 lxxxiii 나사(羅紗)를 왼쪽 어깨에 걸치고 있었다. "안녕하시오, 난 데이비드(David)라고 하오." - "안녕하세요, 선생님! 전 동양에서 온 연이라고 합니다.""선생님이라 부르지 말고 그냥 데이비(Davy)라고 부르시오, 연 군. 오늘은 이슬비가 내리는구려, 그렇지 않소?" - "확실히 그렇네요, 데이비. 심기 불편해하지 않으셨으면 좋겠습니다만 혹시 lxxxiv 웨일스 사람(Taffy)이세요?""그럴 리가! 난 스코틀랜드 출신이오. 하하, 당신은 유머와 재치가 있군요." - "제 객쩍은(客-) 소리를 관대히 봐주셔서 감사합니다.""허허, 별말씀을. 그러나저러나 내 말을 귀담아들어 두시게. 지금 당신 동포 중 누군가 사악한 목적으로 저 창문을 통해 엿보고 있소." – "지금 당신 무슨 말을 하고 있어요? 이 여관에는 우리 나라 사람이 아무도 없어요." "쉿! 목소리를 낮추시게, 청년. 언젠가 왜인지 이해하게 되네. 그때가 오면 내가 전갈(傳喝)을 보내겠소. 당신이 아이 때부터 줄곧 괴기(怪奇)한 어둠에 휩싸인 유럽이 당신을 기다려 왔소, 깨어난 생물이여, 단연 가장 진화한 자(者)여. 지금 문제는 그다음에 우리가 정리하겠소." 그러고 나서 비밀을 품고 있는 그 남성은 바람과 같이 가 버렸다.

〈전대미문 성 패트릭 축일〉

성 패트릭 축일(St. Patrick's Day)은 아일랜드에서 전국적으로 크게 행사하는 법정 연례(年例) 공휴일이다. 이른 봄의 성 패트릭 축일은 이미 오래전에 지나 버렸지만 무슨 까닭에서인지 수백 년 만에 유례(類例) 없이 열리고 있었다. 어디서 나타났는지 무수한 사람들이 도로를 빼곡히 채웠고, 셀 수 없을 정도로 많은 장식 꽃과 색종이 조각인 컨페티(confetti)가 흩뿌려진 수레에는 초록 아일랜드 요정 레프러콘과 정령들이 타고 있었다. 화려한 행렬 가운데 사람들의 미소는 빛났고 그중에서 특히 아이들의 웃음은 눈이 부실 정도였다. 참관하다 보니 어느덧 연의 그날 하루가 그렇게 쏜살같이 지나갔다.

숙소로 돌아온 연은 접수원 아그니에슈카로부터 "연 귀하"라고 적힌 편지를 받았다. 바로 그를 다음 단계로 갈 수 있게 해 주는 PPSN이다.

학생 비자를 얻으러 연은 아일랜드 은행(Bank of Ireland)에 천 유로를 맡기고 은행 통장 없이 계좌를 개설했다. 그러고 나서 카드 발급과 함께 현재 잔고의 증명을 요청했다. 잔고 양식은 전 세계가 다 비슷하게 '출금'과 '입금'이라고 쓰여 있다. 예전처럼 그는 일주일 남짓을 기다려야 했다.

약 일주일 뒤, "버러-키(Burgh Quay)"로 간 연은 "아일랜드 귀화 이민국(Irish Naturalisation and Immigration Service)"이라는 관공서로 들어갔다. 안에는 예기한 대로 이른 아침부터 많은 사람들로 박작거렸다. 연이 가르다 이민국에 정식으로 비자를 신청하자, 접수하는 공무원이 지로(giro)로 150유로 수수료를 내야 한다고 말했다. 연속으로 헛걸음하게 만드는 번문욕례(繁文縟禮)가 도대체 무슨 소용이지?

그가 모든 지원 절차를 마무리했을 때는 3번째 방문이었고 각 1주씩 총 3주가 걸렸다. 연의 차례가 되자 담당 주무관이 그에게 잠시 기다리라고 말했는데 그 순간이 마치 영원 같았다. 대기자 명단에 올라 차례를 기다린 그는 결국 학생 비자를 받아 뛸 듯이 기뻤다. 흥분된 마음을 가라앉히고 비자 날짜를 유심히 보니 3개월짜리다. 연은 놀라 그 자리에서 석상처럼 굳어 버렸다. 이윽고 정신을 차린 그의 얼굴은 격노로 붉으락푸르락했고 격론(激論)이 시작되었다, "당신이 나에게 어처구니없게 짧은 비자를 준 근거가 그 법 몇 조입니까? 공신력(公信力)이 있는 겁니까?" – "네, 임의 재량으로 일 처리를 하진 않죠." "그렇다면 그 규칙이 왜 나한테는 적용되지 않습니까?" – "검열(檢閱)을 통과해도 당신의 문제는 다른 사례와는 별개로 취급됩니다." "전임자나 나에게 정식 비자를 준다고 약속했던 그 사람 좀 만나게 해 주세요. 무슨 말도 안 되는 소리를 합니까?" 연은 비자를 더 연장해 주길 끝까지 요구했다.

그들의 언쟁 중에 법무부 고위 관리가 그들에게 다가오더니 아무런 설명 없이 지정된 날에 연의 학생 비자 기간을 늘려 주겠다고 약속했다. 그러나 연은 품고 있던 의구심을 해소하기 위해 확답(確答)을 원했다. 그가 고위 관료에게 그때가 언제냐고 문의하자, 아일랜드 관료는 비자 만료일에 3개월을 다시 연장한다고 덧붙여 말하면서 그렇게 연에게 1년 비자를 줄 수 있다고 보장했다. "대단해! 참 너그럽군요! 근데 하나도 안 고마워요." 그는 항의를 안 하고 그 문제를 지나칠 수 없었다, "산수(算數)는 나도 해요. 당신은 동일 조건의 다른 학생한테는 1년짜리를 주면서 지금 나만 차별하고 있잖아요! 해명해 보세요! 내가 틀렸음을 증명해 봐요!" 연이 머리를 가로저으며 이해할 수 없다는 듯 잔뜩 찡그린 표정으로 격렬하게 불만을 표출하자 그 나이가 지긋한 고위 관료도 결국 같이 흥분했다, "그 태도는 뭐야? 다시는 그런 짓 하지 마! 내가 너에게 분명히 말했지? 네 학생 비자를 단축하지 않겠다고. 내 말은 우리가 학생 비자 취소를 안 한다고, 알겠어?"

법무부 고위 공무원은 큰 소리로 계속 말하며 기선(機先)을 잡으려고 했지만, 연은 그가 원하는 방향으로 끌려가지 않았다, "다른 이들은 매년 150유로만 내면 끝인 데 반해 나만 매번(每番) 그 긴 시간을 줄 서서 기다리고 150유로씩 1년에 4번 내야 한다면 너무 터무니없잖아요! 당신의 억지 논법(論法)은 내겐 안 통해요. 이건 옛날 ˡˣˣˣᵛ 십일조(十一租)보다 더 나쁘잖아! 완전 착취야! 빌어먹을! 당신은 이런 식으로 나의 권리를 침해할 수는 없어! 좀 이해심을 보여 봐요!" – "입다물어! 끝!"

〈템플 바〉

템플 바(Temple Bar)는 더블린 중심부를 가로지르는 리피강(River Liffey)의 남쪽 기슭에 있다. 거리는 갖가지 흥밋거리로 가득 차 있으며 공연하는 길거리 예술가들과 기타, 바이올린(violin), 아코디언(accordion) 등을 연주하는 음악가들로 바글바글했다.

도심 한 가운데를 통과해 걸어가며 그렉은 소년 시절 영화사가 영화를 만들기 위해 더블린에서 야외 촬영(撮影)을 하는 장면을 자주 봤다고 자랑스럽게 얘기했다. 그를 빤히 보던 연은 그렉에게 그가 아나킨 스카이워커(Anakin Skywalker)를 연기한 헤이든 크리스틴슨(Hayden Christensen)을 닮았다고 말했다. 그의 말이 떨어지기가 무섭게 그렉은 의기양양하게 쿵쿵 발소리를 내더니 스타-워즈(Star Wars) 배경 음악 중 다스 베이더(Darth

Vader) 주제곡인 "The Imperial March"의 선율을 흉내 내며 뽐내듯 걸었다.

과거 영화 제작자가 진짜 아일랜드를 소재로 영화를 만들었다면 그들은 과감하게 있는 그대로 그 본성을 찍었을 터이다. 그 비참함을. 아일랜드의 만화경은 고장 났다. 다채로운 사람들의 삶은 빛의 기념비처럼 전혀 움직이지 않는다. 흐리멍덩한 눈을 한 부랑자들이 어둠의 빛 주변을 활기 없이 돌아다닐 뿐이었다.

리피강 위 돌―[lxxxvi]난간동자(欄干童子)로 이루어진 오코넬―다리(O'Connell Bridge) 옆에 있는 조그만 다리를 지나 템플 바 구역으로 들어서자, 점점 더 거리의 공연가와 여행객으로 붐비고 옛날 방식의 운치(韻致) 있는 마차 탑승 여행도 재현되고 있었다.

한참을 거닐며 구경하다 어느 거리 모퉁이에서 그렉은 연의 팔을 홱 잡아끌었다, "잠시만 기다려. 나 할일이 좀 있어." 그렉은 연을 홀로 두고 주변을 경계하면서 사라졌다. 그는 누군가를 따돌리려 하는 모양이다. 아니면 연이 그의 불법 거래를 고자질할까 봐 우려해서일지도 모른다. 잠시 후 그렉은 어디에서인지 모르게 돌아왔다, "택시 잡아야 해!"

그렉은 가는 도중에 택시 운전사와 요금 문제로 옥신각신했고, 운전수는 중간에 멈추더니 그들을 내쫓았다, "꺼져!" 한밤중에 어딘지도 모르는 곳에 내린 그렉은 경찰서인 "가르다―서(署)"로 걸어가기 시작했고 안에 들어가더니 느닷없이 소동을 일으켰다. 그러나 아무도 나와서 그를 제지하지 않았다. 그렉이 주변을 둘러보며 소리친다, "빌어먹을(^{lxxxvii}Kurwa)! 봤지? 그들은 시민을 보호하는 데 좆도 신경 안 써! 이건 직무 유기라고, 형편없는 가르다야!" 당장 그때뿐이겠지만 그의 얼굴은 흥분해 붉으락푸르락 했다.

어찌 되었든 그의 돌발 행동 때문에 그들은 집까지 걸어오게 되었다. 연은 잠시 ^{lxxxviii}망연(茫然)했지만, 그들이 택시를 탔는데 오히려 숙소까지 먼 길을 뱅 돌아온 사실에 그렉에게 바로 화가 났다. 연은 얼굴을 찌푸리며 그렉을 매섭게 쏘아보았지만, 그는 신경조차 쓰지 않았다.

연과 그렉이 바깥바람을 쐬러 공원에 간 날은 주말이었다. 그들이 공원에서 마리화나를 피우고 있는 동안 2명의 가르다 대원(隊員)이 주변에서 그 장면을 목격했다. 둘 중 한 명이 그들에게 접근하려고 했지만, 나머지 한 명이 그에게 물러서라고 신호했고 그들은 바로 가 버렸다. 이를 보고 그렉이 우쭐댄다, "하하! 이제야 마음이 통하는군!"

대마초가 든 담배를 피운 후 그들은 템플 바로 갔다. 거리는 떠들썩한 인파로 인산인해를 이뤘다. 즉석 연주와 반주(伴奏)를 하는 음악가와 거리 공연자, 그리고 나이트클럽 보안 요원과 행인까지 마당발인 그렉은 인사하느라 정신없었다. 마치 모든 곳이 그가 아는 사람들로 가득 찬 듯했다. 그렇게 그렉 일행은 한동안 템플 바에서 흥청거렸다.

"그렉, 몇 시야?" – "지금 11시 되기 15분 전이야. 오, 딱 좋을 때군. 자정 전까지 할 수 있겠네." "뭘?" – "금방 알게 돼. 따라와."

〈곱사등이 댄스? 원숭이 기어가기?〉

그렉이 들어간 나이트클럽 안에는 특이하게도 중국인 술집 지배인과 불가리아 보안 요원이 있었다.

"내가 너에게 화끈한 처녀를 얻게 해 줄 묘약(妙藥)이 있는데." – "뭐라고? 최음제(催淫劑)? 아니면 몰래 음료 속에 넣는 마취제(痲醉劑)?" "정확히는 아니지만, 얼추 비슷해." 하지만 그렉은 슬그머니 연의 맥주잔 안에 약을 던져 넣었고 그는 꿀꺽꿀꺽 단숨에 들이켰다. 그 후로 맥주 몇 잔을 더 마시는 동안 그 이상한 약이 연을 도취시키기까지 그리 오래 걸리지 않았다. 멍한 상태로 몇 분 동안 좌석에 몸을 파묻고 앉아 있던 그가 무대로 가 미친 듯이 춤을 추기 시작했다. 그런 연을 보던 한 뚱뚱한 소녀가 그쪽으로 달려오더니 그를 껴안고 느닷없이 혀를 밀어 넣으며 진하게 입을 맞추었다. 연은 그녀를 거부하지는 않았다. 왜냐면 완전히 약에 취해 그의 눈에 그녀는 날씬해 보였기 때문이다. 그렉은 포복절도하였고 잠시 후 몰래 내뺐다.

무아지경으로 춤을 추면서 그는 환각 속에서 무대 중앙으로 향했다.

우리의 친애하는 연이 [lxxxix]곱사등이가 된 듯 신나게 씨말처럼 껑충거리는 중이다! 저런, 저런! 완전 뇌까지 꼽추처럼 뒤틀렸다.

그런데 그의 우스꽝스러운 행동은 재밌다기보다 비꼬는 듯 보여서, 보안 요원들은 얼굴이 굳은 채 다가와 연의 팔을 등 뒤로 비틀어, 그를 밖으로 끌고 나가 길바닥에 내동댕이쳤다.

연이 여관 쪽으로 터벅터벅 걸어오는데 기껏해야 스무 살도 안 되어 보이는 한 아일랜드 소년이 그쪽으로 다가왔다. 그냥 지나치는가 싶더니 그는 냅다 팔을 연의 어깨에 두르고 매우 흡족한 듯이 큰 소리로 웃음을 터뜨렸다, "이봐, 친구! 당신 정말 대단해! 아하하!" 연은 별거 아니라는 듯이 양어깨를 으쓱하며 미소를 지었다. 그 소년은 더 이상 집적대지 않고 이내 자기 갈 길을 갔고, 덩그러니 혼자 남겨진 연은 쫓겨난 나이트클럽을 멍하니 바라보았다, "거기서 뱅글뱅글 돌더니 머리까지 돌았나 봐. 그 춤은 완전히 어릿광대−극이었어."

늦은 아침에 일어난 연은 전날 밤 그가 무슨 짓을 했는지 기억하고 무안해 낯 뜨거워졌다, "그래, 그렉이 날 두고 훌쩍 사라졌지. 그리고 나서 난 의식을 잃었고. 내가 도대체 스스로에게 무슨 짓을 했지? 혐오스러워! 진창에서 뒹굴고 있는 돼지 중 하나와 키스하다니!" 며칠 뒤, 밤에 그는 우연히 TV에서 [xc]"경박한 할(Shallow Hal)"이라는 영화를 보고 달콤쏩쓸한 미소를 지었다, "가볍게 행동만 한 게 아니라 그녀도 내게 가벼웠군!"

연이 어학원에서 돌아오니 누군가 여관 계산대 앞 푹신한 긴 의자에 앉아 있다. 그는 다름 아닌 바로 그날 그를 쫓아냈던 보안 요원 중 한 명인 불가리아 사람인데, 천치(天痴)처럼 웃고 있었다. 그건 연이 대마를 처음 흡연했을 때의 증상이다. '저 경비원은 또 무슨 일이라 ^{xci}해시시(hashish) 하며 배시시 웃고 있대?' 아그니에슈카로부터 그 불가리아 남성이 일시 해고 상태라고 전해 들었을 때, 연은 그를 동정했다.

방에 돌아왔는데 뭔가 이상하다. 그렉은 그의 기괴한 짓에 관해 아무 말도 하지 않았다. 연은 즉시 상황을 파악했다. 그렉 역시 그날 약에 취해 있어서 마지막에 일어난 그 사건을 기억하지 못하기 때문이었다. 그는 팔 굽혀 펴기와 윗몸 일으키기를 하는 중이다. 생각해 보면, 흡연과 음주는 물론 대마초까지 피우는 그렉에게 운동은 좋은 선택이었다.

연은 가끔 반나체로 잤는데, 그렉은 그의 체형이 브루스 리 같다고 감탄했고 이후 그 폴란드 소년이 운동하고 싶은 동기(動機)가 되었다. 연의 체격은 균형이 잘 잡힌 알짜 근육투성이여서 그렉은 그와 같이 되려고 노력하였고 몸 만드는 보충제까지 섭취한 결과 근육이 제법 커졌다. 그런데 몇 주 후 그렉이 푸념했다, "어이, 도대체 네 '맥줏배'는 어딨어, 연? 난 네 체형이 질투(嫉妬)나." – "난 태어났을 때부터 뼈가 굵었고 배불뚝이가 오래 유지된 적이 없어, 유전이지." 그렉이 그를 쏘아보았다, "나 운동하려는데 사기 꺾지 말아 줄래, 연?"

(추격)

도심 한 가운데, 연이 걸으며 과음으로 인한 숙취를 날려 버리는데, 근처에서 어떤 아일랜드 남성이 황급히 도망치고 그 뒤를 한 명의 가르다 대원이 쫓고 있다. 그러나 탈주자의 도주 능력이 경찰을 상회해 곤봉을 한 손에 든 가르다는 그를 잡을 수가 없었다. 즉, 경찰이 뜀박질에서 도망자에게 뒤처지는 이상한 광경이 펼쳐졌다. 더블린 첨탑 주변에 있는 사람들은 고양이 쥐잡기 게임이 얄궂게 "톰과 제리(Tom and Jerry)" 소동이 되어 버린 현장을 흥겹게 구경하고 있었다. 물론 가르다는 총을 가지고 있었지만, 그 상황에서 판단하건대 이런 하찮은 일에 그것도 자신의 뜀박질이 느려 총을 사용한다면, 그는 의심할 여지 없이 불이익을 받게 되며 더 나아가 중범죄자가 될 수 있다. 그가 더 빨리 달렸다면 그 경범죄 용의자(容疑者)를 잡을 수 있기 때문이다. 방관자 중 한 사람이 옛날 아일랜드 억양으로 외치며 면박을 주었다, "여, ^{xcii}패디(Paddy), ^{xciii}평편족(扁平足)이 어떻게 순경이 되었냐?^{xciv} 왜 이리 느려? ^{xcv}패디 왜건(paddy wagon) 타고 쫓으면 어때? 아니면 슈퍼맨이라도 와 달라고 고함치던가. 뿡, 뿡! 메탄(methane) 가스(gas) 추진력으로 맹렬히 질주해서 저 자식에게 확 달려들어! 우리가 영국 '잡자'보다 열등해선 절대 안 돼!" 이에 주변에 지나가는 사람들 모두 웃다가 눈물이 나올 지경이었다. 기나긴 추격 끝에 두 사람은 시야에서 사라졌다. 누가 달리기에서 이길까?

〈짝사랑에 빠진 여인〉

아시아 청년 연은 수업엔 흥미가 없었다. 원했던 학생 비자를 얻었기 때문이다. 이에 반해 다른 이들은 수업에 열심히 참여했다. 그래도 연의 특이한 매력은 다른 학생들을 매료했고 급기야 (及其也) 한 브라질(Brazil) 소녀를 짝사랑에 빠지게 했다.

"오늘 우리는 둘이 한 쌍이 되어 정해진 주제에 관해 토론합니다. 자, 두 사람씩 조를 만듭시다!" 연은 그 소녀와 팀(team)이 되어 협력하게 되었다. "우리가 짝지어진 이상, 여느 때보다도 잘 될 거야, 연. 더 좋은 상황을 만들기 위해 앞으로 우리 친하게 지내, 알았지?" '짝지었다고? 흠, 뭔가 말려드는 느낌이 드네.'

연의 아일랜드 교사 에린(Erin)은 자신의 분야인 영어에 매우 유능했는데 원숭이도 나무에서 떨어진다고 그런 그녀도 그날따라 교과 과정을 반 학생들에게 가르치다가 명백한 실수를 저질렀다. 연이 그걸 지적하니 에린은 그의 말에 반박했다. 그러나 그들의 논쟁은 에린이 자신의 단순 실수가 크게 번지자 깔끔하게 자기 잘못을 인정하면서 오래가지 않고 일단락되었다. 하지만 문제는 연이 오만함을 넘어 거드럭거렸다는 점이며 그게 에린의 심기를 상하게 했다.

"글쎄, 연의 지식은 꽤 사실로서 적확(的確)하네요, 군계일학 (群鷄一鶴) 백미(白眉) 씨!" 다소 성난 아일랜드 여교사는 몇 초 간 침묵 후 삐쳤는지 첨언했다, "난 당신이 안식 휴가차(安息休暇次) 먼 이곳까지 온 줄 알았어요, 박식(博識) 선생. 당신은 나보다 한 수 위입니다. 금후 연 군이 이 반을 가르치고 나 대신 출석 점검하세요." 에린의 말에 반 전체가 살벌(殺伐)할 정도로 조용해졌다. 이번에는 연도 잠자코 있었다, '설마 그럴 리가! 그냥 오류(誤謬)를 지적했을 뿐이라고!'

사실 연의 반에서 첫 영어 선생은 폴란드 여성이었는데 오래 가지 못하고 지금의 아일랜드 여교사가 그녀의 자리를 대신했다. 그 폴란드 교사는 외국 출신이라 쫓겨난 게 아니라 영국 사람으로 간주될 정도로 영어를 매우 잘하는 연이 이미 그녀의 수준을 월등(越等)히 넘어 버렸기 때문이다. 어느 날, 아일랜드 교사 에린이 그녀의 학생들에게 질문했다, "자 이 문장에서 어디가 틀렸는지 답할 사람?" 한 나비 문신을 새긴 브라질 소녀가 에린에게 답했다, "'물고기들(fishes)'이 틀렸어요. 제가 영어를 잘 몰랐을 때 항상 '바다에 저 물고기들을 봐.'라고 말했거든요." 그러자 말레이시아(Malaysia) ^{xcvi}군도(群島)에서 온 남학생이 맞장구친다, "정답 같은데?" 이에 에린이 미소를 지으며 고개를 끄덕였다. 이때 연이 에린에게 대수롭지 않은 듯 말했다, "영문법에서 물고기 한 종류의 복수형으로서 '물고기'는 맞아요. 하지만 바다에는 여러 종류의 물고기가 있죠. 따라서 '물고기, 물고기들' 둘 다 정답입니다."

이후 학생들은 연에게 은근한, 어떤 일종의 존경심을 내비쳤고, 연의 반 짝꿍인 야스민(Yasmin)이라 불리는 여학생은 점차 그를 좋아하게 되었다. 그런 야스민의 초롱초롱한 눈도 이따금 그녀의 가보인 조그만 휴대용 손궤(-櫃)에 시선을 둘 때마다 의기

소침(意氣銷沈)하게 변하곤 했다.

브라질 사람은 그의 나라 사람처럼 모여 어울리기를 매우 좋아하고 살아남기 위해 주변 환경을 가족 친화적으로 만드는 기질이 있다. 타국에서도 그들은 어디서 났는지 모를 자국의 토종 음식을 교환하고 알뜰하게 살아가며 모국의 정을 느끼지만, 향수병은 그들도 어쩔 수 없었다. 연은 자기 생각을 입 밖으로 내뱉으며 다짐하듯 혼잣말했다, "난 내가 태어난 땅이 그립지만, 향수병에 걸리진 않아. 난 집이나 고향보다 완전한 자유를 간절히 바라!"

연은 학교 사무실로 가서 직원에게 요청했다, "내가 영어 수업을 빼먹어도 출석률을 조정해 줄 수 있습니까?" - "그런 짓은 못합니다! 예외 없습니다. 당신이 아무리 놀랄 만한 영어 실력을 지녔어도 마찬가지입니다."

방과 후, 그는 인도(India)에서 온 한 소녀를 마주쳤는데 이마 중간에는 큰 사파이어(sapphire) 보석이 박혀 있었고 이국풍(異國風)의 윗도리는 배꼽을 드러내고 있었다. 그녀의 도도한 태도로 판단해 봤을 때, 필시(必是) 그녀는 카스트의 높은 신분으로 추정된다. 적어도 그녀가 천민 중의 천민 파리아(pariah)나 최하층 천민인 수드라(Sudra)는 물론, 평민인 바이샤(Vaisya)도 아님은 의심할 여지가 없었다.

여하튼(如何-) 그 연-에린 사건 이래, 관계가 틀어져야 할 아일랜드 교사 에린은 오히려 야릇하게 연에게 친절해졌다. 항상 긴 치마와 노출이 없는 수수한 옷을 겹겹이 입었던 교사 에린이 그날부터 무슨 심경(心境)의 변화가 있었는지 옷도 적게 입다 못해 미니스커트(miniskirt)에 배꼽이 드러난 티셔츠까지 입고 교실에 등장했다. 그녀는 수업을 시작하고 창밖을 보더니 무언가를 응시하며 말했다. "이상해요. 주변 순찰하는 일도 보기 힘든 나태(懶怠)한 가르다가 최근에 보통 때와 달리 설치고 다니네요."

그때 연의 배가 갑자기 큰 소리로 꼬르륵거리며 시위(示威)하기 시작해 그는 행여나(幸-) 들킬까 수업 중에 바깥으로 나갔고, 간식을 그의 입 속에 털어 넣었다. 그런 일은 오랫동안 위와 대장이 과민한 상태에 약간의 염증이 있어서 이따금 발생했다. 그가 본국에 있었을 때 등에 100킬로그램의 술이 담긴 상자와 통을 지고 배달하는 일을 한동안 했는데, 그 특이한 형태의 장기에 압박을 주는 중노동이 만성 장염, 위염 그리고 소화 불량을 유발하여서 생긴 잔병이다. 위장이 비어 있지 않을 때조차도 꾸르륵거리는 생리 현상은 그를 무척 난처하게 하였다. 그건 근본적으로 복통도 결장(結腸)의 뒤틀림도 아니다. 그 꼬르륵거리는 배는 도대체 뭐지? 스트레스와 피로로 인한 단순 과민 대장 증후군인가?

(아일랜드 교사)

아일랜드 교사 에린은 연의 영어 아킬레스(Achilles)-건(腱)이 무엇인지 재확인할 수 있게 해 준, 그에게 유익한 사람이었다. 그의 영어에서 유일한 약점은 바로 듣기였다. 그녀는 학생들에게 종종 아일랜드 영화를 보여 주었고 영화, 라디오 등에 귀 기울여 잘 들으라고 조언하면서, 연과 똑같이 듣기의 중요성에 대해 강조했다. 에린은 연이 그걸 해낼 수 있는 가장 유력한 사람이라는 사실을 이미 알고 있었다.

밤에 주류 판매 허가 상점인 오프-라이선스(off-licence)가 문을 닫아 연은 파벨에게 나중에 줄 테니 우선 가지고 있는 맥주 한 캔을 달라고 청했다. 파벨은 큰 소리로 투덜거리며 소형 냉장고인 미니바(minibar)에서 손바닥만 한 알루미늄(aluminium) 합금 맥주통을 하나 꺼내 들더니 그대로 방 밖으로 나가 버렸고, 그런 파벨의 태도는 참을 수 없을 만큼 그를 격분케 했다. 몇 분이 지나 연이 안마당으로 나가 그의 마지막 맥주통을 벽에 던졌다, "어이쿠, 이거 참! 실례를 해 버렸네?!" 그러던 그는 몇 초 후 첨언했다, "우리는 친구잖아, 맞지? 뭐가 대수인데?" 파벨은 연의 예상치 못한 행동에 순간 놀라 멍하니 있었다. 그러다 정신을 차린 파벨은 연에게 그대로 되돌려주었다. "그럼 네 ^{xcvii}애그로(aggro)는 뭔데?!" 파벨도 그의 맥주통을 따라 집어 던졌다. 마침 숙소로 돌아온 그렉이 그들을 바라보며 히죽 웃었다, "너희 둘은 죽이 척척 잘 맞네! 너희들 북미의 '맥주 아작내기(beer bust)' 파티 하는 중이야? 아니면 '스코틀랜드 망치 던지기(Scottish hammer throw)' 놀이? 벽 너머로 힘껏 높이 던져야지! 그런데 망치 막대기가 어딨지? 하하! 바(bar)를 사용하려면 술집인 바(bar)로 가. 안 할 거면, 너희 둘이 서로 공평하게 주고받은 지금, 그만하고 제발 진정해!" 난데없이 나와 헛소리를 하는 그렉을 파벨이 얼굴을 찡그리며 쳐다보았다, "함부로 떠죽대지 말고 우리 싸움에 쓸데없이 말참견하지 마, 그렉!"

그로부터 약 일주일 동안 쉴 새 없이 비가 내려 창유리를 후두두 치고 있는데, 일거리 없는 문제에서 벗어나게 할 해법을 찾아 달라고 조르는 연에게 신물이 난 파벨은 그에게 짜증을 냈다, "그 망할 우는 소리 좀 그만해! 넌 맞벌이 집 어린애가 아니라고! 그 정도는 스스로 알아서 해야지! 매번 날 질문 공세로 괴롭히고 있잖아." 그는 다 피운 담배를 탁상 위 재떨이에 비벼 끄며 말을 이었다, "기분 나쁘게 하려고 한 얘기는 아니야! 연 넌 내 사소한 도움에 기대지 않고 스스로 살 수 있어." – "딱히 기분 나쁘진 않아. 네 말이 맞아. 계속 성가시게 한 점 사과하지. 그만 귀찮게 할게. 어쨌든 이번에는 네 충고가 꽤 참고할 만하네." 그 순간 그렉이 방으로 들어왔다, "너희 둘 이번엔 또 뭐로 다투고 있어?"

〈이사〉

그다음 주, 파벨은 폭스(Fox)라 불리는 [xcviii]지주(地主)를 연에게 소개해 줬다. 폭스가 그에게 제시한 보증금과 방세(房貰)는 낼 만한 금액이어서 연은 기꺼이 이사했다. 폭스의 집은 큰 길가 옆 골목의 막다른 곳에 자리 잡고 있다.

파벨은 연을 보고 특유의 모자란 표정을 지으며 입을 살짝 벌렸다, "이봐, 잘 봐! 네가 살 집 뒤에, 크로크 경기장(Croke Park)

이 있어. 유럽에서 4번째로 큰 경기장으로, 유투(U2), 엘튼 존 (Elton John), 본 조비(Bon Jovi), 폴리스(The Police), 셀린 디 옹(Celine Dion), 웨스트라이프(Westlife)같이 내로라하는 가수 들이 지금까지 음악회를 열어 공연했던 곳이야. 연, 네가 운이 좋다면 집에서 그들의 콘서트(concert)도 들을 수 있어." – "그 거 꽤 떠들썩하고 흥미롭겠네. 고마워, 벗이여." "그건 그렇고, 동 무, 집들이할 거지? 아니면 총각들끼리 파티라도?" – "누가 장가 라도 간대? 매일 남자들끼리 놀면서 새삼스레 무슨. 저, 있잖아, 정확히 말하면 이곳은 내 집이 아니고 난 당분간 결혼할 계획이 전혀 없어. 그냥 에일이나 좀 마시자. 이번엔 내가 살게."

그렇게 그의 새 거처가 정해졌고 단층에서 동거인들과 생활하 게 되었는데 그들은 한 쌍의 연인이다. 한 명은 이탈리아 처녀고 다른 이는 스페인(Spain)계 이탈리아 남성이었다. 집에 들어가자 놀랍게도 붉은빛이 도는 분홍색 여성 속옷이 연의 방 바로 앞 빨 래 건조대에 걸려 있었다. 그 이탈리아 소녀의 기행은 연을 어리 둥절하게 했다. 저런, 거긴 그대의 ^{xcix}일실형 주거(一室型住居) 가 아니라오, 동거인 아가씨.

키 큰 이탈리아 처자는 구레나룻이 있는 왜소(矮小)하지만 몸 놀림이 잰 스페인계 이탈리아 남성과 줄곧 같이 있었다. 몇 주 뒤 폭스는 연을 방문했다. "저 이탈리아 여성이 나에게 빨래 건조 대에 넌 팬티 위치가 약간 바뀌었다며 젊은이가 자기 속바지를 만지작거렸다고 말하더군. 그래서 말인데 내 집에서는 점잖게 굴었으면 좋겠네!" – "전 그곳 근처도 가지 않았어요. 속옷 하의를 만지작거리는 짓은 더더욱 안 했죠. 기왕(既往) 말이 나온 김에 나도 할 말 좀 합시다. 그녀는 다른 공간도 많은데 왜 항상 내 방 앞에다 빨래를 널어놓는 겁니까?" 폭스가 가고 난 후, 연은 항의하기 위해 동거인들의 방문을 두드렸다. 그들이 나오자마자 그는 분노에 차 소리쳤다, "너희 둘만 이 집에서 살고 싶다면 그 냥 폭스 씨에게 요청해 그렇게 해! 젠장, 왜 날 모함(謀陷)해 바보로 만드냐?!" 키 작은 스페인 남자가, 노발대발(怒發大發)해 씩씩거리며 떠나려는 연에게 변명했다, "필시 뭔가 오해가 좀 있 었나 본데, 내 여자친구는 그런 짓을 할 사람이 절대 아니야. 그 녀는 단지 폭스에게 당신이 그녀의 세탁물을 가끔 본다고 얘기했 을 뿐이야." 그러면서 그 ^c앙바틈한 청년이 연의 어깨를 움켜잡 았는데 힘이 엄청났다, "내 말 끝까지 들어 봐. 그런 의도가 아니 었어. 그건 단순히 표현상의 문제로, 오해야, 알아듣겠어?" – "글 쎄, 난 조금도 동감할 수 없어. 그 더러운 손 치워. 빨리! 나쁜 새끼야. 계속 그렇게 나오면 후회하게 될 거야, ^{ci}다고(Dago). 네 가 힘자랑하며 '씨불알' 대단하다고 뽐낸들 내 거만 하겠나? 뭔 가 단단히 착각한 모양인데, 그냥 꺼져라!" 연은 그의 손을 뿌리 치고 밖으로 나갔다.

  연의 집주인 폭스는 60대지만 건강하고 그의 부동산 관리를 남의 도움 없이 홀로 할 수 있어, 다른 ^{cii}부재-지주(不在地主)와 는 달리 지주 겸 관리인 역할을 동시에 했다. 부동산-왕인 폭스의 자택에 인접한 땅 대부분이 그의 소유라 토지 경계 분쟁도 없어 보였고, 그의 손녀(孫女)뻘 되어 보이는 젊은 부인은 여주인으로서 연을 친절히 대해 주었다. 당시 그의 건물에는 연과 같은 나라 사람 3명이 [ciii]"가정－유학" 중이었다.

이틀 뒤 저녁, 불룩한 옷소매의 연보라 드레스를 입고 암갈색의 굽이 없는 낮은 신발을 신은 날씬한 체형의 프랑스 소녀가 하얀 강아지를 품에 안은 채 그 아시아인 3인조와 함께 예고도 없이 불쑥 연을 방문했다. 프랑스 소녀는 명랑한 부잣집 따님 같았는데 야릇하게 침착함과 [civ]스스럼의 기미(機微)가 공존했다.

그들은 먼저 자신들을 소개했다, "만나서 반가워요. 난 마리(Marie)라고 해요." － "연입니다. 좋은 저녁입니다(Bonsoir), 마리 아가씨(Mademoiselle Marie). 환영해요(Bienvenue)! 당신은 파리 사람인가요(Vous êtes parisien)?" "아뇨. 프랑스어 하실 줄 아시네요? 그것도 잘하세요." － "나만 그런 게 아니라 영어를 사용하는 적지 않은 사람이 프랑스어를 하죠. 그나저나, 무슨 바람이 불어서 여기까지 오셨나요, 마리 아가씨?" "저, 아가씨 소리 안 해 주셨으면 좋겠어요. 귀족도 아닌데 듣기 불편해요. 전 여기 당신에게 [cv]오르되브르(hors d'oeuvre)로 드시라고 직접 만든 [cvi]카나페(canapé) 좀 주러 왔어요." － "끝내주네요! 안주로 [cvii]파테(pâté)랑 같이 편하게 먹을 수 있겠네요." 작은 파이(pie) 하나를 집어 먹은 후 그는 감탄했다, "우와! 프랑스 과자 가게에서 파는 식품보다 더 감칠맛이 나네! 이야기가 났으니 말인데 괜찮다면 하나 더 먹을래요." 그들이 그렇게 간식을 먹고 있는 와중에 마리는 연에게 다소곳한 미소를 지으며 말했다, "저, 사실 난 당신이 이전에 영어 시험에서 자신만만(自信滿滿)한 표정으로 100점 맞았을 때 잠깐 봤어요. 굉장하더군요. 당신은 최고예요." – "고맙습니다. 어쩌다가, 정확히 아는 문제만 나와 맞추었을 뿐인걸요. 여담(餘談)이지만, 목에 조그만 장신구를 두른 그 개는 비숑 프리제(Bichon Frisé) 아닌가요? 이름과는 달리 본디 프랑스산은 아니지만." "예, 맞아요. 연 당신, 박식하군요." – "아! 그저 비숑 프리제를 영화 "슈렉(Shrek) 2"에서 봤을 뿐이에요." "당신은 뽐내며 자랑하진 않네요," 마리는 킬킬 웃었다.

그렇게 가볍게 대화를 시작하고 소파에서 그녀가 만든 카나페를 먹으며 그들은 친해졌다. 어느 순간인가 연은 마리의 일행에 대해 묘하게 안 좋은 느낌이 들었고, 연과 같은 나라 사람 3명이 마치 연을 노리는 적인 양 서로 은밀하게 눈빛을 주고받는 장면도 포착했다. 어둠이 내리깔리기 시작할 무렵 마리는 자리에서 먼저 일어났다. 연은 그들을 문까지 바래다주며 그녀에게 넌지시 물었다, "이곳 생활이 단조롭지 않아요?" – "아마도? 농담 한번 해봤어요," 마리는 온후(溫厚)함을 풍기며 유쾌하게 웃었다, "그동안 단순히 학업 때문에 머물렀는데 일주일 후면 프랑스로 돌아가게 돼요. 그러나 걱정하지 마요. 지리적으로 가까워서 우리는 곧 다시 만날 테니까요." – "국교 회복을 위해 영국을 통해서, 그렇죠?" 마리는 연의 영국과 프랑스 관계에 관한 역사 유머에 입을 가리고 킥킥거렸다, "만나서 즐거웠어요. 나중에 만나요!" 마리가 먼저 작별 인사를 했다. "다시 볼 수 있겠죠, 맞죠?" 연이 못내 아쉬워하는 표정을 지었다. "사정이 허락한다면." – "안녕. 그럼 다시 또 봐요!"

그들이 돌아간 뒤 연의 안색이 좋지 않았다, "망했다! 저런, 그 데이비란 스코틀랜드 사람 말이 헛소리가 아니었네. 좀 더 답사할 필요가 있겠어."

(두 번째 이사)

며칠이 지나 폭스는 연을 저녁에 초대했다. 다섯 가지 코스(course)가 있는 만찬이었고 음식은 모두 은식기에 담겼다. 연이 폭스 집에 도착했을 때, 샛노란 색으로 변해 버린 냄비 요리에 넣을 새끼 양고기를 썰고 있던 폭스 부인은 문을 열어 주고 그를 따뜻하게 맞아 주었다. 폭스의 집은 수수하면서도 멋있는 가구와 비품(備品)으로 꾸며져 있었다. 폭스 부인이 연에게 자리를 안내하자 폭스가 그를 반겼다, "어서 오게, 연. 자네는 식전에 마시는 술을 어떤 종류로 할 텐가? [cviii]베르무트(vermouth)? 아니면 샴페인(champagne)?" – "베르무트가 좋겠네요."

오랜 시간이 지나도 끝내지 못한 푸짐한 식사 덕분에 연은 포만감으로 만족스러웠다. 그는 손가락같이 생긴 [cix]"막대생선튀김(fish finger)"를 집으며 폭스 부인을 쳐다보았다, "그 [cx]타르타르 양념(tartare sauce)을 건네주시겠습니까?" – "기꺼이. 그리고 후식(後食)은 뭐로 드릴까요? 브랜디(brandy)에 담근 과일? 아니면 비스킷?" "과일이 입가심으로 괜찮을 듯해요, 부인." 그러면서 연은 말과는 반대로 앞에 놓인 비스킷을 집으며 플루트(flute)처럼 길쭉한 잔으로 샴페인까지 음미하고 있었고, 조끼를 입은 폭스는 지하 저장고에 내려가 큰 와인-통에서 ᶜˣⁱ디캔팅(decanting)을 마쳤다. 다시 올라온 그는 연에게 와인 잔을 건네고 벽로(壁爐)에서 바람-문을 조작했다. 폭스는 연에게 미안한 듯한 웃음을 띠며 풀무가 걸려 있는 벽로 선반 위에 놓인 작은 도기 조각상을 만지작거린다, "손님을 초대해 안 좋은 소식(消息)부터 전달하고 싶진 않지만, 연, 자네가 방을 비워주었으면 하네. 내 일실형 주거 중 한 곳으로 옮겨주는 편이 좋겠어. 자네, 와인을 다 마시면 여기 내 ᶜˣⁱⁱ사실(私室)로 와 주겠나?" 잠시 후 연이 폭스의 서재로 갔는데 그곳의 바닥은 ᶜˣⁱⁱⁱ나무쪽으로 된 복잡한 모자이크(mosaic) 문양이 돋보였고, 책상에는 다양한 종류의 ᶜˣⁱᵛ서진(書鎭)이 있었다.

"난 문진(文鎭) 수집가지. 특히 유리로 세공된 제품을 좋아하네. 그래도 이렇게나 많은 유리 문진을 가지고 있는 건 좀 그렇지? 거기엔 또 다른 이유가 있네. 알다시피 내가 더블린에 땅을 여러 군데 가지고 있어서 산더미같이 많은 서류를 처리해야 하거든. 그래서 난 불가피하게 서진 수집가가 되었네. 자, 이제 본론으로 돌아오도록 하지. 난 자네에게 ᶜˣᵛ스튜디오(studio) 한 채를 할당해 주려고 하는데, 연 자네 생각은 어떤가?" – "그 말은 지금 저 보고 이사 가라고요, 맞아요?" "바로 그렇다네! 자네는 그 곳에서 첫 달 동안은 집세를 내지 않고 지내도 되네." – "좋아요!"

연은 그렇게 폭스의 차를 타고 단칸방 집으로 짐을 옮기러 갔다. 그 말인즉슨 이제부터 동거인 없이 그 혼자 산다는 뜻이다. 차를 타고 이동하는데, 밤에 웬 구급차가 그들의 길목 가운데에 서 있었다. "발동기(發動機)인 엔진(engine)이 아직 공회전하고 있는데, 배기관을 통해 나오는 소리로 판단하건대 고물이네요," 운전석 옆자리에 앉은 연이 말했다, "하지만 저 덜거덕거리는 승합차의 발동기나 기화기(氣化器)에 특별히 고칠 문제는 없는 듯해요." 그들이 바싹 다가가니 원인이 드러났다. "보이죠? 콘크리트(concrete)에 크고 깊게 구멍이 나 바퀴가 끼었어요. 그래서 그들이 응급 환자(應急患者)의 이송이 더 늦어지기 전에 차량의 축을 들어 올리려 함이 틀림없습니다." 연의 말이 끝나기가 무섭게 준의료인(paramedic)과 직원이 구급차 밖으로 나와, 밀어 올리는 기구인 잭(jack)으로 차틀을 드는 작업에 착수했다. 그들이 그러는 동안 폭스와 연은, 개조한 사제(私製) 카 오디오(car audio) 기기를 켜 놓은 채 차 안에서 기다렸고, 잠시 생각을 멈춘 연은 폭스가 개인적으로 맞춤 제작한 파란색 계기판을 넋없이 바라보았다.

금세, 배가 남산만 해 출산이 임박한 임산부가 들것에 실려 구급차로 옮겨졌고 병원의 조산실(助産室)로 떠났다. 구급차는 마치 아무 일도 없었던 듯 신속히 사라졌다. 이 때문에 연이 목적지까지 걸어서 5분이면 가는 거리를 차로 30분이 걸렸다.

큰 길가에 연이 앞으로 살 건물이 있는데 2층이다. 먼저 안으로 들어간 폭스가 연에게 들어오라고 손짓했다, "자 보게! 좁지만 조리·냉난방 기기 등 최신 설비가 갖추어져 있네." 죽 둘러보니 맨 위층 다락방보다는 나은 전형적인 단칸방이었다. 연이 월세가 얼마냐고 묻자, 폭스는 그에게 매달 400유로씩 방세로 요구했다. '이 무슨 착취인가!' "자네는 터무니없이 비싸다고 생각할지도 모르나 그렇지 않다네. 여긴 더블린이라고, 젊은 친구." – "난 이 가격에 묵을 여유가 안 됩니다." "좋네, 이렇게 하도록 하지. 내가 자네의 전기료와 수도료를 첫 3개월 동안은 내겠네. 이것이 내가 제시할 수 있는 최선의 조건이네." – "좋아요, 거래합시다." 그의 여정 동안 짐이 반으로 줄어서, 새집에서 그의 짐을 정리하는 덴 오래 걸리지 않았다.

파벨은 바로 다음 날 연을 방문했다, "훌륭해! 이제 너만의 집이 생겼네. 웬일이냐." 연이 사정을 설명하자, 파벨은 혀를 찼다, "흥! 그~ '따고(dago)'는 야비(野卑)한 거짓말쟁이야. 그들은 자신들의 거짓말로 다른 사람들이 불행해지기를 좋아해. 그러니 그 따위로 살지." – "나는 이렇게 표현하고 싶어, [cxvi]'맘마ー미아(mamma mia)!' 정말 [cxvii]마라스카(marasca)같이 씁쓸한 경험이었어. 그들은 어떤 형태로든 자극을 원하는 변태들이 맞아. 그들의 연애(戀愛) 생활이 무미건조해서 그런가?"

늦은 오후 연은 잡화점에서 조그만 쓰레기통을 구매한 후, 중 앙 우체국(General Post Office)으로 갔다. 접수대의 중년 여성 직원은 마치 그가 이곳에 처음임을 아는 듯 자세히 설명해 준다, "법적으로 당신이 쓰레기를 버리려면 쓰레기 처리 우표(郵票)가 필요해요." ― "요구하는 가격이 얼마인데요?" "일반폐기물용(廢 棄物用)은 장당 2.9유로가 들죠. 그리고 다른 하나는 2유로예요." ― "일반 쓰레기용으로 2장 주세요. 아, 그리고 기타(其他) 용도 로 한 장도." 그녀는 우표를 건네주며 마지막까지 친절히 설명해 준다, "그냥 그 우표를 쓰레기 봉지에 부착하면 됩니다."

〈록의 피바다〉

어느 하루, 누군가 문을 두드리는 소리에 연이 내객(來客)을 맞으러 나가 보니, 옷에 가르다 [cxviii] 휘장(徽章)을 단 키가 큰 아 일랜드 사람이 서 있었다.

"쉬시는 데 방해하려고 한 건 아닙니다, 선생님. 전 가르다의 캐릭(Carrik) 경위입니다. 건너편 거리에서 누군가의 머리가 잘 린 살인 사건이 발생해 우리는 용의자를 찾아 이 일대를 샅샅이 뒤지고 있습니다. 피해자가 잘 가는 곳을 범행 전에 미리 물색 (物色)해 계획적으로 한 살인인지 아니면 단순히 살의 없는 우발 적 살인인지 단서를 찾아내려고 하는 중이죠. 혹시 살인 현장을 목격하셨나요?" ― "아뇨, 난 거기서 살인이 일어난 사실조차 몰 랐어요." "아주 좋아요. 협조에 감사합니다. 안녕히 계십시오!"

연은 바로 코앞에서 그런 끔찍한 살인 사건이 발생했다는 그의 말을 믿지 않았다, "저거 또라이 아냐?"

다음 날 아침, 혐오감을 일으키는 광경에 이웃들이 핼쑥해져 서 있는, 문제의 살인자가 일으킨 욕지기 나는 피투성이 현장 옆을 지나가면서도 연은 태연했다. 당장 먹고살 걱정을 해야 하는 절망의 고뇌가 거리의 피바다를 엎질러진 빨강 페인트로 보이게 했다.

늘 그렇듯이 그는 자리가 빈 삯일이라도 찾으려고 ᶜˣⁱˣ가가호호 (家家戶戶) 돌며, 복사한 70장의 이력서 중 몇십 장을 작은 회색 천가방에서 꺼내 사람들에게 나눠 주고 늦은 오후에 집으로 돌아왔다. 요리를 잘 못하는 연은 도매로 산 1.99유로짜리 생닭을 양념을 바르지 않고 소금 간도 하나도 안 한 채 통째로 오븐(oven)에 구웠다. 그래도 닭 껍질이 까맣게 타지 않고 황갈색으로 잘 구워졌다. 그는 흡족한 마음에 중얼거렸다, "자, 불은 끄고 여열로 갈색이 될 때까지 마무리를 완벽하게 하는 편이 낫겠다. 그러고 보니 꽤 잘했네, 요리에 서투른 내가!" 그런데 연에는 뭔가 특별한 점이 있었다. 어떻게 요리에 서투른 그가 예전에 수란을 뚝딱 만들 수 있었는가?

바로 그 순간 크로크 경기장 주변 상공을 맴도는 한 헬리콥터가 연의 눈에 띄었다. 하늘은 석양에 벌겋게 번져, 후끈 달아오른 공연장의 환호와 환상적인 조화를 이루었고, 공연하는 U2의 희미한 목소리가 연의 집까지 들렸다. 세계적으로 유명한 아일랜드 음악가와 광적인 팬이 만나니 축제의 밤이 따로 없었다. "이거 원, 최고참(最古參)에 속하는 유투는 아직도 아일랜드에서는 대세(大勢)로군. 나도 조국에서 마찬가지였으면…" 연은 뜻 모를 말을 나지막이 중얼거렸다.

〈이웃〉

그의 인근은 전원적(田園的)이진 않지만, 수도임에도 짙붉은 저녁노을과 어우러진 풍경은 서정적(抒情的)이다. 서로 오가며 인사하면서 이웃끼리 친해지기까지는 그리 오래 걸리지 않았다.

화사한 봄꽃을 보며, 연은 저녁놀을 만끽하는 중이다.

"사후 세계에서 사람들은 천직(天職)을 가지고 생활할까? 아니면 여전히 돈을 벌기 위한 직업을 구할까? 직업이 목적이 되어야지 수단이 되면 사회가 발전하는 데 한계가 있을 수밖에 없어."

민들레꽃이 활짝 웃고 월계수 요정이 달콤한 향기를 풍기며 애무하니 그는 그곳이 평화롭고 위안(慰安)이 되었다. 더블린 변두리 지역에서, 거칠 것 없는 햇볕에 일광욕하는 모습은 영국과 더불어 흐린 날씨로 유명한 아일랜드에서 확실히 드문 광경이다.

연과 이웃 간의 삶은 서로 편안할 만큼 친숙해졌다. 집으로 돌아오는 길에 연은 한 흑인 소년을 봤는데, 그는 며칠 전에 거리에서 ᶜˣˣ밴조(banjo)를 연주했던 소년이었다. 소년은 운동복 차림에 농구공을 겨드랑이에 끼고 걸어오고 있었다. 연은 그에게 농구 한-판 하자고 제안했고 소년은 망설임 없이 이에 응했다.

일반적으로 신체 조건에서, 아프리카 초원을 뛰어다니며 사냥하던 흑인이 다른 인종보다 농구에서 유리함은 사실이다. 비단(非但) 농구뿐만은 아니지만. 아시아인인 연은 게임 내내 그 흑인 소년에게 끌려다녔다. 그런데도 그는 지는 게임을 결국 마지막 자유투에서 골을 넣어 이겼다. 하지만 자존심 강한 흑인 소년은 결과에 승복(承服)하지 않았다, "네가 점프(jump)하기 전에 반칙했다고!" - "이거 원, 내가 두 발이 공중에 떴을 때 반칙했고, 골은 일단 유효하니 맞아." "그건 네 말이겠지! 넌 심판이 아니잖아!" 그러나 게임은 이미 끝났다.

"아 참, 이름도 안 물어봤네! 다음에 만나면 꼭 물어봐야지!"

일거리에 대한 근심을 잠시 잊으려, 늦은 밤 연은 태연하게 전형적인 아일랜드 나이트클럽을 찾았다. 빈 탁자에 자리한 그는 무도장에서 춤추는 사람들을 멍하니 바라보고 있었다. 분명 주변에는 아무도 없었는데 난데없이 한 통통한 아일랜드 여성이 나타나 그곳은 그녀의 남자친구 자리라고 소리치며 그에게 버럭 화를 냈다.

평상시 같으면 그런 억울한 상황에 발끈해 따지겠지만, 만사에 신경 안 쓰고 쉬러 온 그였기에 대꾸도 안 했다. 연은 즉시 담배를 피우러 밖으로 나가 궐련갑(卷煙匣)을 열었다. 공교롭게도 말아 놓은 담배가 모두 떨어졌다. 주변에는 "반짝이 짤막 상의(spangled cropped top)"를 입고 복부를 시원하게 드러낸 네덜란드 여성이 쪼그리고 앉아 담배를 피우고 있었다. 연은 그녀에게 담배 한 개비를 줄 수 있겠냐고 물었고 그녀는 선뜻 그에게 말보르(Marlboro) 담배 한 개비를 건넸다. 연이 그녀에게 고맙다고 인사하고 떠나려 하자 그녀는 그에게 소리쳤다, "기다려! 어딜 가려고?!" 그가 주춤하자, 그녀는 큰 소리로 대가를 요구했다. "뭐라고?! 당신 나 지금 들볶는 거야?" ─ "아닌데? 그건 당신의 선택이야." 결국 연은 그녀의 요구대로 고작 담배 한 개비를 무려 2유로에 사게 되었다. 허망(虛妄)한 표정을 짓던 그는 담배에 불을 붙이고 그녀의 옆에 쪼그려 앉았다. 그런 연을 보며 네덜란드 여성이 거침없이 자기 생각을 입 밖으로 뱉었다, "그렇게 '쌕쌕(shag)'거리고 싶으면, 네덜란드로 오는 편이 나아." ─ "그 침튀기는 입 좀 닥치시지! 완전 날강도가 따로 없네! 네가 네덜란드인이면 네덜란드식으로 공평하게 분담해야지. 술김에만 통하는 네덜란드식 만용은 아니라고!" 연의 말에 주변 사람들이 웃음을 터뜨렸다. "술에 관한 네덜란드 허세가 나온 김에 하는 말인데, 맨정신에도 나한테 그런 말 할 수 있어, '나대년'아?" ─ "빈정대면서 날 폄하(貶下)하면 따먹을 줄 알았냐? '비역질' 나니 꺼져 버려, 더럽게 아는 체하는 놈아!" "누가 널 '따'먹냐, 말쑥한 척하는 경박한 년아. 난 '비역쟁이'가 아니고 넌 정말 내 타입이 아니나 네가 정 원한다면 네 아랫도리 대신 그 주둥이로 날 뽕가게 해 버려도 괜찮아. 네 주둥이는 딱 그 용도야." 취기가 오른 두 사람의 대화가 점점 저질스럽게 흘러가자 스스로 염증(厭症)을 느낀 그는 그녀를 뒤로하고 떠났다.

그날 밤 집에 돌아와 카디건(cardigan)을 입은 채 마티니 (martini) 한 잔을 홀짝이며 고전 음악을 듣다가 그는 전례 없는 불가해한 감정에 휩싸였다.

다음 날 아침 연은 수십 장의 이력서가 담긴 작은 천가방을 들고 교외로 나갔다. 도중에 한 신문팔이 소년이 그가 가는 길에 서 있었다, "cxxi호외요(號外)! 호외!" 그가 흔드는 신문지의 앞면에는 유명한 슈퍼스타(superstar)의 부고(訃告)가 대서특필돼 실려 있었다. 호외 신문을 단 한 번도 사 본 적이 없는 연은 처음으로 즉석에서 한 부를 구매한 후 전부 읽어보았다. 늘 그렇듯 적지 않은 팝-스타(pop star)가 약물로 인한 심장 박동 정지로 사망하지만, 이번 사건은 뭔가 이상했다.

오후에 학교로 가는 길에는 템플 바 입구에 아일랜드 편의점인 센트라(Centra)가 있는데, "치킨 필레 롤(chicken fillet roll)"을 1.99유로로 팔았다. 싼 가격에 비해 양이 푸짐해 그곳에서 그는 항상 저녁을 해결했다. cxxii'닭고기-막대-샌드위치'는 아일랜드 더블린에서 서민을 위한 저렴한 음식 중 하나이지만 꽤 먹을 만하다. 그곳 생활에 익숙해지면서 연은 거리의 악사가 연주하는 음악에 귀를 기울이곤 하였고, 그들이 연주를 잘했을 땐, 자신이 빈곤한데도 그들의 가치 있는 연주에 대한 답례로 소액을 기꺼이 후원하였다.

매일 편의점 간이식당에서 똑같은 음식을 사 먹는 데 신물이 나 대학가로 음식점을 찾아 내려오는 길에, 연은 새로 출시된 메뉴를 구매하면 식품 1개를 덤으로 준다는 광고 현수막(懸垂幕)을 내건 론디스(Londis)에 들렀다. 편의점 안에는 귀여운 중동(中東) 소녀가 일하고 있어서 연은 그녀가 그를 맞이할 때까지 기다렸다. 잠시 후 그녀의 큰 눈망울이 그에게로 향했다, "무얼 도와드릴까요?" – "나 이 새 메뉴 원해요." "안타깝게도 지금 그 메뉴는 이용할 수 없어요." – "나중에 언제 살 수 있는데요?" "나도 잘 모르겠어요." 그는 광고에 낚여 온 스스로에게 짜증이 났다, "이 광고는 감질(疳疾)나게 하는 미끼인가요?" 그녀가 무슨 말인지 몰라 눈을 말똥말똥 뜨고 연을 바라보자, 그는 첨언했다, "뭐 한번 덥석 물어 주죠." 그가 고기를 낚는 어부를 흉내 내니 그녀는 그제야 이해했다는 듯 킥킥거렸다. "이건 갈고리고, 이제 난 낚였네요. 좋아요, 저걸로 주세요." 연은 다른 메뉴의 식품을 사서 군말 없이 떠났고, 편의점 소녀는 떠나는 그에게 정감이 가는 미소를 지었다.

거리를 걸어 내려오던 연은 나무판이 바닥에 깔린 부두의 한 작은 노점에서 블랙-커피(black coffee)에 위스키가 가미된 아이리시 커피(Irish coffee)를 홀짝이며 폭스 부인이 손수 만들어 준 "칠면조 젤리(turkey in cxxiiiaspic)"를 가방에서 꺼내 음미했는데, 부스러기가 쉽게 떨어지지 않아 먹기 매우 편했다. 늦은 오후 그는 한가롭게 어슬렁거리면서 주위를 산책하듯 돌아다녔다. 마치 더블린의 지도가 그의 머릿속에 각인된 양. 대부분의 영국 건물이 그렇듯, 아일랜드 주택도 보편적으로 박공이 있는

지붕에 양각으로 장식이 된 난간이 있어 특색 있게 도드라져 보인다.

아일랜드에 온 지 어느덧 몇 달이 다 되어 가는데 변한 건 없고 그의 지갑만 얇아져 갔다. "이런, 이렇게 허덕대다가 자동으로 유럽에서 추방당하겠는걸?" 그는 아일랜드에서 자력으로 살기 위해 아등바등 분투(奮鬪)하기 시작했다. 연에겐 말 그대로 사활(死活)의 문제다.

(파스)

Foras Áiseanna Saothair, 즉 'Labour Facilities Foundation'으로 번역되는 이른바 파스(FÁS)는 일거리가 없는 사람의 고용(雇傭)을 돕는 정부 기관으로, 실업자에 대한 관리 책임 부서다. 한마디로 고용 지원 기관이다. 연이 돈 문제로 곤궁한 와중에, 인터넷 카페 대신 파스에서 무상으로 CV를 수정, 복사할 수 있었고 그때까지 그 무엇도 그의 의욕을 꺾지 못했다.

(순회)

연은 일거리를 찾으러 좀 더 멀리 나가 보기로 작심했다. 그래서 그는 예전에 더블린 지도 조각을 얻었던 가게에서 아예 지도책을 통째로 샀다.

던드럼(Dundrum)은 아일랜드어로 'Dún Droma'라고 하는데 '산등성이 요새'를 의미한다. 그렇게 이름 지어진 대로 마을 전체가 주변에 비해 ˣˣⁱᵛ두두룩하게 되어 있었고 도로는 뱀처럼 구불구불 마을과 산을 감아 돌고 있다. 길을 걷던 연은 고령으로 인해 지팡이를 짚고 가는 한 노파를 만났다. 같은 길을 지나게 된 그들은 서로를 소개하고, 걸어가면서 이런저런 이야기를 나눴다, "토끼풀이 아일랜드 국화(國花)이라던데요?" – "토끼풀? 어마, 난 그런 사실을 전혀 몰랐네." "노부인, 아일랜드 국가의 상징이라고요. 토끼풀 모르세요? 클로버(clover)!" 연은 순간 무슨 말을 할지 몰라 어리둥절해 걸음을 멈췄다. 그 노부인은 신경 쓰지 않고 마치 처음부터 혼자 걸어온 듯 가던 길을 갔다. 그녀는 노인성 치매(癡呆)를 앓고 있었다.

연은 던드럼에 있는 아시아인 식당의 음식 나르는 일에 지원한 후 되돌아오는 길에 버스 안에서 10대 초반의 어린 소녀 맞은편에 앉게 되었다. 그는 그녀에게 정겹게 인사를 건넸다, "안녕! 병아리같이 귀엽네?" 그러자 그 어린 소녀의 얼굴은 연분홍색으로 붉어졌다. '이번엔 또 뭐지? 내가 저 애에게 한 말 중에 잘못된 점이라도 있나?' 그는 소녀를 위해 애써 태연한 척 못 본 체했다.

어느 늦은 오후, 학교에서 집으로 돌아오는 길에 두 남자 거지가 연에게 접근했다, "잔돈 좀 있으면 나눠 주시면 고맙겠습니다, 선생님!" 그는 있는 잔돈을 전부 그들에게 주고 가던 길을 갔다.

연의 예전 "청소년 여관" 근처에서, 어쩌다 안면이 있게 된 파벨의 친구 중 ˣˣᵛ'실없쟁이'가 그에게 장난삼아 농담을 툭 던졌다, "이봐, 검은 머리 친구, 무기 밀매를 하는 모양인데, 내 말이

맞지?" 연은 그의 장난기 어린 농담에 맞받아친다, "그래, 경찰
따위가 건들 잡범이 아니야. 날 잡으려면, 군대를 출동시켜야 할
걸? 난 미니건으로 알려진 M134 Minigun 같은 치명적인 기관총
을 운송하거든. 그건 집중 폭격에 대응해 cxxvi탄막(彈幕)을 만드
는 데 효과적이고, 총알로 어떤 단단한 물체도 벌집같이 구멍투
성이로 만들 수 있어. 그리고 AK-47 같은 기관단총도 다루지.
하지만 무기 이외의 장비나 사소한 cxxvii소이탄(燒夷彈), 최루탄
(催淚彈) 그리고 테이저(Taser)는 취급하지 않아. 자동 소총 칼
라시니코프(Avtomat Kalashnikov)는 전 세계적으로 공인된 아
름다운 러시아 아이야. 이 펀치(punch)를 한번 느껴 보면 못 잊
을걸? 네가 러시아 제품을 좋아하지 않는다면, 우지(Uzi)를 추천
해. 기본적으로 같지만 이스라엘산이야. 참, 난 현금만 받아. 지
금 당장 구매한다면 탄창에 탄약을 채워 덤으로 줄 수 있지." -
"너 진짜로 총기에 능숙하구나? 고객 서비스로서 더 자세히 알려
줘!" "그 총은 탄착점(彈着點)이 잘 모인다는 사실 빼고 나머지
는 잘 몰라."

그들을 뒤로하고 연은 계속 걷다가 옛 숙소 앞에서 파벨과 마
주쳤다. 그들은 현관(玄關) 계단에 앉아 그동안 못다 한 이야기
를 했는데 그 주제는 바로 접수대 직원인, 그런대로 괜찮게 생긴
아그니에슈카였다. 얘기 중에 흥이 돋았는지 파벨은 그의 자작곡
인 "오, 아그니에슈카, 내 사랑!"을 부른다, "오 아그니에슈카, 내
사랑, 나의 사랑을 받아 주오! 어쩌고저쩌고." 그러고 나서 어떻

게 그 곡을 만들었는지 얘기하기 시작했다. 요약하면 연 뒤에 새로 들어온 기타리스트(guitarist)가 기타를 연주하다가 파벨과 함께 곡을 만들었다고 한다. 그러면서, 이틀 뒤에 그 기타 연주자는 방에서 돌연사했는데 일주일 뒤 부검 결과 최종적으로 사인이 뇌졸중으로 밝혀졌다고 덧붙였다. 그 얘기 후, 파벨은 돌연, 한때 그렉과 파벨을 놀리려고 농담으로 그녀를 좋아했다고 한 연을 흉내 냈다, "얘들아! 아그니에슈카는 내 거야!" 파벨이 익살스러운 표정을 짓자, 연은 낄낄거렸다, "너 조금 많이 마셨구나." 그때 파벨의 친구인 혈색 좋은 얼굴을 한 미국인이 끼어들었다, "거 참, 말참견을 안 할 수가 없네. 나쁜 뜻으로 말하는 건 아니지만, 솔직히 말하면 난 그런 훌라-후프(Hula-Hoop)같이 허리 군살이 있는 땅딸보 아가씨는 안 좋아해. 왜냐면 포동포동 살찐 여자랑은 cxxviii'떡(bone)'을 칠 수 없거든. 내가 어떻게 그녀의 치골(恥骨)을 찾을 수 있겠어? 미국에서는 널린 게 우리한테 대주고 싶어 안달 난 가슴 빵빵하고 엉덩이 큰 여자인데. 난 빠질게." 연이 바로 뒤이어 덧붙여 말했다, "나도."

다음 날 연은 블랙록(Blackrock)으로 면접을 보러 갔으나 소용없었다. 그는 점심때가 되자 철로 옆 파도가 철썩철썩 치는 제방(堤防) 위에 앉아 샌드위치를 한 손에 들고, 멍하니 칙칙한 바다를 바라보며 한참 동안 생각에 잠겼다.

다시 더블린 시내로 돌아오는데, 아래쪽 거리인 대학가 근처에서 한 러시아인이 몸통이 물고기 꼬리처럼 삼각형으로 된 삼현

(三絃) 기타를 연주하고 있었다. 콘트라베이스(contrabass) 발랄라이카(Balalaika)다. 더블린 예술인 중에서 실제로 그걸 연주하는 일은 매우 드물어 그는 연주가 끝날 때까지 흥미롭게 쳐다보았다. 가기 전에 연은 관람료로 유로 동전을 바구니에 던져 주며 그에게 말했다, "언제 한번 다른 이들과의 즉흥 재즈 합주를 듣고 싶네요."

바로 그다음 날 연이 이번에는 블랜차즈타운(Blanchardstown) 옆에 있는 작은 마을에서 돌아다니고 있다, "도대체 내가 일자리가 있을 턱이 없는 이런 외딴 부락(部落)에서 뭘 하고 있지?" 그가 걷는 길가의 주택은 예외 없이 박공집이다. 북쪽으로 5분 정도 걸으니, 정원의 구조물에 덩굴 식물이 자라서 이루어진 나무 그늘 산책길이 나왔다. 그 cxxix게일(Gael)의 비밀 화원으로 가는 통로는 소유주의 경탄할 만한 예술적 가지치기 기술을 보란 듯이 뽐내고 있었다. 그가 감상하고 있는 도중에 한 사람이 어디서인지 모르게 나타났다. 염소수염을 한 나이 든 켈트 남성은 퉁명스럽게 쏘아붙인다, "난 당신이랑 영어로 대화 안 하오." 연은 미소를 지으며 반박했다, "글쎄, 그건 나도 마찬가지인걸요." 더 이상 볼일이 없던 연은 즉시 그 자리를 떠나 블랜차즈타운의 대형 쇼핑몰로 향했다, "뭐 저런 주인 영감(令監)이 다 있어!"

켈트 노인은 뭔가 분위기가 범상치 않아서 연이 평상시 같았다면, 좋은 대화로 인연을 만들어 지금의 문제를 해결하는 쪽으로 사건을 진행시켰을 수 있었을지도 모른다. 하지만, 이곳에 와서도 일자리를 구한 적이 없고 돈만 떨어져 가는 그는 당장 절박했다.

　야외 체험 학습을 나온 한 무리의 유치원생이 쇼핑몰의 버거킹과 맥도날드 연쇄점 가운데 서 있다. 그들 중 한 명이 다른 아이에게 자랑스럽게 얘기했다, "맥도날드가 버거킹보다 훨씬 나아!" 그러자 그의 편에 있는 아이들이 동의한다, "맥도날드가 대세야!" 그 광경을 본 연이 끼어들더니 운(韻)을 맞추어 우스갯소리를 한다, "코 파거킹(Booger King) 대(對) 막~똥나드라(McDung's)! 승자는, 아일랜드 혈통 막~똥~나드라!"^{cxxx} 아이들이 한바탕 웃음을 터뜨릴 때 연은 그들에게 부드러운 눈길을 주었다, "있잖아, 아가들아, 그들은 좀비(zombie) 같은 자본주의자야. 아마 너희들에게　마법을　걸었을지도　몰라.　얏!　^{cxxxi}　'가르더라 (Abracadabra)!'" 아이들은 천진스레 킥킥거리더니 연에게 묻는다, "좀비도 주문을 외울 줄 알아요?" 연은 웃으며 고개를 저었다. 잠시 건물에 들어갔던 교사가 나오는 모습을 본 그는 한쪽 눈을 찡긋거리며 아이들에게 작별 인사를 했다. 연은 아이들이라 어차피 이해하지 못한다고 생각해 삼켰던 말을 돌아오는 길에 홀로 중얼거렸다, "연쇄점의 큰-형님(Big Brother)은 대부분 미국에 본사가 있는 대기업인데 그곳에서 다른 경제를 황폐(荒廢)케 하고 있다. 그들은 파급력이 강한 사업을 지구촌 구석구석 퍼뜨려, 노예 상인으로서 노예를 양산하며 자신의 엄지손가락 하나로 간단히 제어하려고 해. 그 악착같이 돈을 모으는 사업에는 어떠한

창의성도, 삶의 존재 이유도 없지. 허풍만 가득한 협잡꾼들이 제로섬 게임에서 그저 돈을 긁어 들이고 있을 뿐이야."

어느 오후 연은 아일랜드의 경제 상황을 살피기 위해 더블린 중심부에서 멀리 떨어진 곳까지 나갔다. 왜냐면 그는 그렇게 노력했는데도 아일랜드에서 단 한 푼도 벌지 못했고, 자신의 탓이 아닌 전 세계적 경제 위기 상황 때문이라고 여겼기 때문이다. 그가 향한 곳은 더블린 외곽의 공업 지대였다.

그곳은 폐쇄(閉鎖)한 공업 지구라기보다 소름 끼칠 정도로 을씨년스러운 죽음의 황무지에 가까웠다. 결딴난, 오래된 공장에는 차만 드문드문 있고 쥐새끼 한 마리 볼 수 없었다. "돌아가는 기계가 없으니 이 무슨 암울한 공장 지대인가! 문 닫기 직전이군!"

연달아 직접 발로 뛰어다니며 탐방(探訪)하느라 지친 연은 돌아오는 버스 안에서 잠시나마 쉴 수 있었다. 다음 일정 준비를 위해 기력을 충전하려 잠깐 눈을 붙인 그는 언제나 함께하길 바라던 스웨덴 소녀 엠마의 꿈을 꾸었다.

허드렛일 같은 단순 육체노동까지 마다하지 않고 한 집 한 집 열심히 찾아다니면서 그의 양말은 해지고 꿰매기를 몇 번이나 반복했는지 모른다, '그래도 걸인처럼 발가락에 천을 칭칭 감는 짓보단 낫지.' 연은 그렇게 생각했다. 그때까지만 해도 그는 경기 대불황에 절대로 위축되지 않았고 오히려 이에 지지 않기 위해 민첩하게 움직였다. 그러나 그동안 한 고생은 결국 헛수고가 되었다. 그는 위험하고 고된 일이라도 얻으려고 필사적으로 노력했지만 소용없었다. 운명의 수레바퀴가 그에게 안 좋게 비스듬히 굴러가고 있었다.

며칠 뒤 오후, 연은 그날도, 이젠 환상이 되어 버린 일자리를 구하려 더블린 지역을 돌아다니고 있다. 그러다 도중에 옅은 갈색 대형 ^{cxxxii}토트-백(tote bag)을 든 헝가리 가정주부와 마주쳐 인사하고 자연스럽게 같이 걷게 되었다. 그녀는 대략 150 cm 정도 키고 연은 182 cm에 달하기 때문에 큰 걸음으로 성큼성큼 가 버려 앞지르지 않게 그는 자신의 걷는 속도를 그녀에게 맞췄다. 함께 가는 동안에 그녀는 그의 언어 재능에 관해 칭찬했다, "당신은 영어를 굉장히 능숙하게 구사하네요. 난 여기 20년 동안 살아도 영어가 서툰데 당신은 생애 첫 해외여행이면서 어떻게 그렇게 영어를 잘할 수 있죠?" - "글쎄요, 일단 영어에 능숙한 이유는 내가 영화에 나오는 다양한 원어민의 영어를 열심히, 그리고 꾸준히 듣는 훈련을 해 왔기 때문이죠. 선별하는 방법은 그냥 가장 많은 원어민이 본 영화예요. 특히 유명한 영화들요. 영화가 지덕(知德) 계발(啓發)을 위해 가치 있는지와는 무관하게. 이는 과학적으로는 설명할 수 없는 궁극의 진리입니다." 대화가 자기 본위(本位)의 젠체하는 쪽으로 흐르자, 연은 화제를 돌렸다, "그나저나 질문이 있는데 ^{cxxxiii}굴라시(goulash)는 본디 헝가리 음식인데 왜 체코에서 더 유명하죠? 훨씬 맛있나요?" - "그럴 리가요! 그건 프라하 방식이 인기 있기 때문이죠. 원조(元祖) ^{cxxxiv}구야시(gulyás)를 맛보고 싶다면 부다페스트로 오세요. 단순하지만 그게 본래의 구야시죠." 연은 침을 꿀꺽 삼켰다, "두 배로 낼 테니 당신의 굴라시를 맛볼 수 있을까요?" - "아니, 그건 안 돼요! 난 결코 어떤 남자도 내 집에 들이지 않아요!" 그리고 그녀는 홱 가 버렸다. "난 분명 성적인 의미로 말하지 않았는데. 내가 동냥아치같이 굴었나?"

얼마 뒤 직업-소개소를 찾은 연은 집으로 돌아가 정장으로 갈아입은 후 폭이 넓은 cxxxv윈저 매듭(Windsor knot)으로 넥타이(necktie)를 매고 자진(自進)하여 그곳에 갔다. "아, 옷 구김을 방지하는 접이식 양복 휴대 자루(garment bag)가 마침내 쓸모 있게 됐군."

큰 방으로 통하는 작은 방인 대기실에서 기다림 없이, 연이 여성 접수 담당자에게 지원서를 주자마자 그녀는 바로 면접을 보았고 그에게 구직 목적의 일관성을 가져야 한다고 충고했다, "당신의 주 경력과 원하는 직업이 맞질 않군요. 당신에게 참고삼아 말하는데, 임시변통의 직업은 시간만 헛되이 낭비하기 쉬워요. 앞으로 직업이 당신의 바람이나 경력에 부합될지는 자신에게 달려 있어요." 상담이 끝나고 그동안 답답하게 느껴졌던 목을 죄고 있던 넥타이를 풀어 헤친 채 이층 버스에 올라탄 순간, 연은 낭패(狼狽)스럽다는 듯 당황한 표정이 역력했다. 올 때 호주머니에 있는 잔돈을 써서 몰랐는데 지갑을 통째로 집에 놔두고 와 버렸다. 바로 그때 어떤 도량(度量)이 넓은 아프리카 사내가 다가와 그 대신 버스비를 요금함에 넣어 연을 cxxxvi원조(援助)했다. "고맙습니다, 선생님. 성함(姓銜)이?" - "난 자메이카(Jamaica)에서 온 자마르(Jamar)라고 하오. 나의 푼돈으로 당신을 도울 수 있어서 오히려 내가 기쁩니다. 그러잖아도 잔돈이 거추장스러웠을 뿐이니 마음 쓰지 마시오." "송구(悚懼)하지만, 자마르, 어쨌든 신세를 졌습니다." - "좋소!" "저어, 자마르, 당신은 영국식 영어를 구사하지 않는군요. 내가 알기론, 자메이카는 영국 통치 아래에 있었을 텐데요." - "맞소. 그러나 우리 나라는 아메리카 대륙의 쿠바(Cuba)에 가까운 카리브해(Caribbean Sea)에 있는 섬나라요. 자메이카 사람은 정통 영국식 영어를 쓰지 않소. 엄밀히 말하면 우리는 영어에 기반한 아프리카 크리올-어(Creole language)를 씁니다."

〈이색 소풍 II〉

어느 날 밤, 연은 동포가 경영하는 슈퍼마켓으로부터 문자 메시지(message)를 받았다, "cxxxvii명일(明日) 오전 10시 XXX에서 소풍이 있습니다. 가능하면 참석하셔서 자리를 빛내 주세요." 그는 잠시 망설이다가 구직에 도움이 될지 모른다는 실오라기 같은 희망을 품고 참석하기로 마음먹었다. 교포들이 야유회(野遊會)를 간 날은 법정 공휴일이다. 그들은 산과 들이 있는 곳으로 놀러 갔다. 연은 그곳까지, cxxxviii평저선(平底船)이 지나다니는 리피강 위의 오코넬-다리를 건너 몇 시간을 계속 걸었다. 가던 경로 중간에 그는 다수의 아이들이 어떤 장소에 운집해 있는 광경에 이목이 끌렸다. 바로 공원 속 동물원이다. 한 목말을 탄 아이가 눈앞의 동물을 손가락으로 가리키며 부모에게 말한다, "아빠, 저 코끼리, 코뿔소, 하마(河馬)같이 두꺼운 피부를 가진 큰 동물을 뭐라고 불러요?" ─ "애야, 그건 전문 용어로 ^{cxxxix}후피 동물(厚皮動物)이라고 한단다." "미국 ^{cxl}'그림─신문(tabloid)'만화에 나오는 코끼리가 자기가 공화당이라고 했어. 아빠, 그게 무슨 말이에요?" ─ "어, 그건 말이지… 공화당은 매우 커. 민주당보다 덩치가 크고 피부, 특히 낯짝이 두꺼워서 얼굴을 붉힐 줄 몰라 부끄러움을 모른단다. 어려운 말로는 후안무치(厚顔無恥)라고 하는데, 알 필요는 없어." "아빠, 당나귀는 어떤데?" ─ "그들은 그냥 '멍나귀'야."

연이 동물원을 지나치고 얼마 안 가 바로 그의 나라 사람들을 찾았다. 참가자들은 구기 경기를 이제 막 시작하고 있었다. "뭐야?! 소풍이 아니라 운동회였어?" 하지만 연은 운동이 친목을 빨리 다지겠다고 생각해 나쁘게 보진 않았다. 단, 처음 보는 사이끼리는 역시 좀 그랬다. 연의 사정은 절박했지만 겉으로는 태연하게, 그저 그들의 경기를 관전(觀戰)하였다.

경기가 끝나길 기다리는 동안 연은 어슬렁거리며 산책하다 숲 속 깊은 곳까지 들어가게 되었다. 어느 순간 나무가 갑자기 사라지고 탁 트인 초원이 나타났다. 그곳에는 네발짐승 무리가 떼 지어 한가롭게 풀을 뜯어 먹고 있었다. 지금은 멸종된, 이른바 큰 뿔─사슴(giant deer)이라 불리는 아일랜드 엘크(Irish elk)를 연상케 하는 큰 사슴 무리였는데 그중 한 마리는 거대하게 가지진 뿔이 검은 플라스틱 봉지로 덮여 있었다. 인간들이 이곳까지 그들의 서식지를 점령하고 있다는 표시다. 그 장면은 왠지 애처로워 그냥 실소해 넘어갈 수가 없었다. 게임이 모두 끝난 후, 그들은 대화를 나누며 소풍 바구니에 싸 온 음식을 다 같이 먹었다. 새로 온 연에게 부담을 주지 않으려는 듯 무심한 척 자연스럽게 대했지만, 그는 그것이 허울이라고 느꼈다.

연은 아일랜드에서 역시 따뜻한 환영을 받지 못했고 정치적 [cxli]폭력주의자로 취급받거나 초면인 여관 주인에 의해, 무차별 훼손을 즐기는 문화 예술의 파괴자로 오해받는 일까지 있었다. 손님을 받으면서 침입자로 본다? 전적으로 그건 [cxlii]"아일랜드식 모순(Irish bull)"이다. 게다가 초면부지(初面不知)의 사람에게는 농담이라도 전혀 재밌지 않다. "당신이 주장하는 문제의 '테러리스트(terrorist)'란 뜻을 난 이해할 수가 없어요. 가만 보자, 아, 알겠어요. 당신은 필시 외국인 혐오증이 도졌군요, 맞죠? 아니면 무슨 일이 있기를 고대(苦待)하던가? 난 당신이 사람을 외모로 평가한다는 사실은 알겠는데 왜 나를 폭력주의와 연관을 시키는지 당최 알 수가 없네요." 연의 얼굴은 노여움으로 확 달아올랐는데 그게 그를 더욱 위협적으로 보이게 했다. "불법 무기 밀매상에다 이젠 테러리스트로 오해를 받아? 다음은 뭐지? 나에 대한 소문이라도 떠도나? 그럴 리가 없지! 단순노동도 못 구할 정도로 존재감도 없는데 뭘."

학교에 가랴 생계를 꾸리려 없는 일자리를 구하랴 연은 점점 정신적으로 지쳐갔다. 그는 집으로 오는 길에 파벨과 마주쳤다. 파벨은 길 건너편에서 그에게 고함치며 손을 흔들었다, "오랜만이야, 연. 근황은 어때?" – "그저 그래!" "그저 그래? 그러면 얼마나 오래 이 상황을 헤쳐 나갈 수 있다고 봐?" – "배 째. 죽을 맛이야. 조금도 나아질 기미가 안 보여. 위험한 일도 마다치 않고 찾으러 멀리까지 나가 봤는데, 제길! 난 일 없이 어정거리는 사람이 아니라고!" 연이 투덜댔다. "대비책이라도 있어?" – "개뿔 있기는!" 그러자 파벨은 그에게 단정적인 말투로 충고했다, "지금부터 내 말 잘 들어. 유럽 학교 여름 방학이 보통 6월 하순에 시작해. 말하자면, 학생들이 매년 용돈을 벌러 단기적으로 일하는 시기라고! 그건 네가 일자리 구할 시간적 여유가 얼마 없다는 상황을 뜻해. 정말이야. 꾸물거리면 안 돼! 빨리빨리!" – "제기랄! 난 그렇게 이곳 물정에 밝지는 않지만, 네 말이 맞는 듯해. 넌 나의 진정한 친구니까 빈말할 리가 없지. 그나저나 술 한잔하면서 얘기 좀 하고 싶은데 어때, 파벨?" "비공식으로? 그럼, 우선 먼저, 비공식으로 술을 파는 곳을 가야겠지." – "하하, 재밌군. 너 은근히 재치 덩어리야, 파벨" "그건 너도 마찬가지야! 자, 진탕(–宕) 마셔보자!"

사실 파벨은 술꾼이지만 알코올 중독자는 아니었다. 엄밀히 말하면 알코올 중독은 애주(愛酒)와 같지 않다. 게다가 그 술고래는 거대하고 강인한 간(肝)을 가졌다. 하지만 너무 과신하지는 말도록, 파벨. 왜냐면 그러다 간장병(肝臟病)에 걸리기 쉬우니까.

〈트위터〉

집에서 웬일인지 날이 서 있는 연이 싸구려 오디오 기기를 앞뒤로 움직이며 연결하고 있다. 소리는 음량을 키울수록 나빠졌다. 그의 휴대용 음악 재생기에 콩알만 한 저가 앰프(amp)가 내장(內藏)되어 있기 때문이다. "싸구려 스피커를 설치했지만, 음향학적으로 이 방의 구조는 그리 나쁘진 않네." 파벨은 연의 평소(平素) 같지 않은 행동에 다소 놀란 표정이다. 연은 왜 그가 이상한 짓을 했는지 설명했다, "난 그렇게 [cxliii] 하이-엔드 스테레오(high-end stereo) 장비에 미치진 않았지만 내 귀가 꽤 밝아서 그래. 워낙 저가형이라 그런가, 5유로 지폐 몇 장짜리 오디오 기기를 [cxliv] 조율하기가 쉽지 않네. 단지 값싼 기기 때문에 음악 작품의 음이 뭉개지게 하고 싶지 않거든."

잠시 침묵이 흐르고 연은 파벨을 바라보며 웃었다, "그러나저러나 왜 우리가 여기에 있지?" 파벨은 연의 집에 들어온 이래 처음으로 입을 떼며 대답했다, "자식, 우리가 여기 있는 이유는 뒷병으로 맥주를 해치우기 위해서지. 자 당장 마셔 볼까나?" - "하하, 그래, 우린 술친구였지?" "그래. 맥주를 위하여 건배!" - "맥주를 위하여!" "기꺼이!" - "하하, 놀라운 사실은 파벨 네가 재치 있는 말을 할 줄 안다는 거야. 이봐, 근데 네 얼굴은 웃을 때조차 경직돼서 진지해 보여. 얼굴 마사지가 좀 필요할 듯한데?" "하하. 거울 보는 느낌 안 들어? 우리 둘 중 한 사람에게만 적용되지는 않는데?" 파벨은 연의 재기 넘치는 소견(所見)에 응수했다. 그들은 이미 다른 맥주는 다 끝냈고 기네스를 마시기 시작했다. 기네스 생맥주(draught) 캔 안에는 조그마한 부속품이 들어 소리가 났다. "이봐 파벨, 너 이게 뭔지 알아?" – "내 머리로 그걸 알겠냐?" 연은 알루미늄 합금 맥주통을 반으로 쪼개 그것을 꺼냈다. 파벨이 안의 내용물을 보고 고개를 갸우뚱했다, "이 작은 플라스틱 공은 어디에 쓰지?" 연이 무언가 기억난 듯 손뼉을 쳤다, "아, 생각났다! 이건 작은 도구로서 위젯(widget)이라고 부르는데, 통을 딸 때 기압 차로 인해 압축된 질소가 나와 기네스 맥주에 크림 같은 거품을 일으키게 해."

파벨은 기네스를 마시며 연에게 말했다, "이 음악은 단순해 편하게 들리는데? 하하!" – "맞아. 그리고 귀에 쏙쏙 들어오지. 그런데 어떻게 기네스가 이렇게 깊은 맛을 지니게 되었을까? 재료? 통기법(通氣法)? 주조 기술? 아니면 그밖에 무언가 때문?" "자꾸 전문적인 사항을 나에게 묻지 마, 연. 난 기네스 맥주의 발명가인 아서 기네스(Arthur Guinness)가 아니라고."

음악을 들으면서 그들은 이야기를 나누기보다 주로 술을 마셨다. 화장실에 자주 가는 연의 행태를 본 파벨이 농담한다, "어이, 연, [cxlv]아드레날(adrenal)에 문제 있어?" – "아니! 단지 한 번 갔을 뿐이야. 어떻게 우리가 '아드레날_린(adrenal_in)'도 없이 막역(莫逆)한 사이가 되었겠어? 말장난한 김에 지적하는데 넌

'부신' 문제라고 말하면 안 되고 '방광(膀胱)' 또는 '전립선' 문제라고 했어야지, ^{cxlvi}'아갈싸개'야!" "좋아, 알겠어," 파벨은 크게 웃으며 말했다. "그래야지. 그나저나 나 오늘 AIB(Allied Irish Banks) 은행 근처에서 그렉을 만났는데 나에게 보여줄 게 있다며 안으로 데리고 가더니 말도 없이 또 사라져 버렸어. 어쩌면 그렉은 나를 두고 가 버리는 장난을 좋아하는지도 몰라. 아니라면 왜 날 동반해 거기로 갔을까? 난 직업도 없고 유럽 사람도 아니라 은행이 나한테 자금을 융통해 줄 이유가 전혀 없잖아, 그렇지?"

– "이봐, 연, 그 빌어먹을 그렉 노박(Greg Nowak)을 믿지 말고 멀리하는 편이 좋아. 그가 너에게 마리화나를 주는 저의(底意)는 널 약에 중독시켜 대마초를 팔아먹으려 함이야. 설상가상으로 널 꼬셔서 죄를 저지르게 하려 한다고 생각해. 결코 마약 밀매자랑은 어울려선 안 돼! ^{cxlvii}쇠미(衰微) 속에서 살아가면, 같이 스러져갈 뿐이야. 넌 그를 조심해야 해."

그리고 그들은 잠시 침묵을 지켰고 연은 화제를 바꿨다, "지금 내 몸무게는 66 kg이야. 그동안 죽 77 kg이었거든. 나 몸무게가 심각하게 줄고 있어." – "우선 한 가지 이유로 이거는 확실해. 네가 담배를 끊으면, 다시 몸무게를 늘릴 수 있어." "하하! ^{cxlviii}데데한 소리! 그건 너나 나나 마찬가지야, ^{cxlix}굴뚝 선생(Mr. Chimney)!" – "흠, 그렇게 되나? 어쨌든 네가 담배 피우는 모습을 보면 꼭 고무-젖꼭지를 빠는 모양새야." "고무-젖꼭지? 공갈

젖꼭지 말하는구나. 만일 그렇다면, 내가 '젖'도 덜一떨어진 얼간이네. 그리고 너도 역시 아기고?" 그들은 술에 꽤 취한 듯, 서로 눈이 마주치자 자지러지게 포복절도했다.

"다시 네 문제로 돌아와 보면, 그건 네가 아직 새로운 아일랜드 음식과 환경에 익숙해지지 않아서 그래. 나중에 적응이 되면, 다시 체중이 예전처럼 돌아올 테니 걱정하지 마. 그건 습성이 된 기호(嗜好)의 문제야. 맛 들이기 나름이지." — "스웨덴에 있는 나의 진정한 사랑은 뭔데? 나에게는 우리 나라 여자보다 스웨덴 여자가 전 세계에서 제일 예쁜데?" "안 그럴걸. 넌 살면서 첫인상에 영향을 받지 않을 수 있다고 확신해? 네가 처음 해외로 나간 거 자체가 강렬한 인상을 새겨서 그래." — "그건 그렇지. 난 케케묵고 상투적인 문구는 좋아하지 않지만, '좋고 싫은 데엔 이유가 없다.'"

"그럴 수 있지. 스웨덴 얘기가 났으니 말인데, 위키리크스(WikiLeaks) 설립자인 그 아무개한테 무슨 일이 일어났다던데?" — "줄리언 어산지(Julian Assange) 사건은 강간과 정치적 망명이 뒤섞여 있는데, 내가 아는 한 구속 ⁿ적부(適否) 심사를 위한 출정(出廷) 영장(令狀) 단계는 이미 끝났고, 어산지는 그의 열렬한 지지자들이 모금한 보석금을 내고 풀려났어. 그런데 국제간에 도망범 인도를 논의 중이라 그가 정말로 정치적 망명자가 되어버렸다는 소문이 돌고 있지." "연, 난 어산지가 아무래도 그전부터 이미 여성을 추행하는 버릇이 있었다고 생각해. 그에게 악감정은 없어. 그냥 추측으로 한 말이야. 하하!" – "글쎄? 난 여자를 안 믿어. 사실 난 인간을 안 믿어. 그들 각자는 법원보다 믿을 만할지도 모르지만."

"뭐라고? 너 정부에 반대하는 파야? 나의 연약한 친구 연이 이제 반란을 일으키는 무정부주의자야? 그런 거야?" – "사법부는 겉보기에 중립적, 이성적으로 행동하는 듯 보이지만, 업무의 피로도를 낮추려 증거를 못 본 척하거나 누락(漏落) 및 왜곡해 조작을 일삼는 집단 이기주의적 쓰레기 단체야. 그들은 언론과 대중의 관심이 집중한 큰 사건에만 무슨 발표 하듯 제대로 하며 다른 일반 사건에서는 오로지 경찰과 검찰의 자료에만 전적으로 의존하지. 공무원은 민주주의라는 이름으로 위임된 힘을 지니고 있어 원고, 피고인 국민과 동격이 될 수가 없어. 그건 사람들이 전적으로 법률에 복종할 의무(義務)가 없는 미국의 [cli]캥거루 법정(kangaroo court)보다 더 안 좋아." "확실히 넌 민중의 선동자라는 딱지가 붙을 만한 자격이 있어, 황달 선생(黃疸先生)!"[clii] – "이봐, 보다시피 내 간은 매우 건강하고 강해 전적으로 정반대야. 너 '공포팔이(fear-mongering)'라는 용어 들어 봤어?" "아니, '겁팔이(scare-mongering)' 같은 거야?" – "기본적으로 같아. 보통 정치인들과 군주(君主)같이 정권을 장악하려고 권력이 있는 자들이 많이 악용하지. 그들이 공포를 자극하는 조작을 하면 언론에도 나쁘진 않아. 별다른 노력 없이 특종을 얻을 수 있으니까. 그래, 그들은 선거 운동을 하면서 대중을 속이는 편이 낫다고 판단했어. 사람들이 무분별하게, 중독적이며 누그러뜨리기 힘든 공포에 깊이 동요될 때, 선거는 그들 손아귀에 들어오고 대부분의 공화당은 게임에서 승리하게 되지." "맞는 말이야! 그런데 넌 정치적 자질에 있어서 사생활에 관해 거짓말하기엔 너무 미숙해. 대권(大權)을 얻으려면 대중을 조종해야 하고, 강력한 연줄을 통해 영향력을 만들 필요가 있어. 간접적으로라도 돈을 써야 하지. 무소속 정치인은 자수성가(自手成家)하기 쉽지 않아. 그리고 네가 정치 투기장(鬪技場)에 들어가고 싶다면 적의를 호의적인 겉모습 아래 감출 필요가 있어. 정치인이 되려면, 지식은 너처럼 정확해야 하지만 사생활은 그러면 안 돼. 그래야 네 쓰라린 결점을 못 건들게 할 수 있지. 양심적이고 정직하면 정계에서 살아남을 수가 없어. 정계의 아레나(arena)에서는 강적의 눈에 모래를 뿌릴 줄 아는 자가 살아남아. 그래야 네가 네 나라에서 독재자(獨裁者)가 될 수 있어." 그 사이 그들은 벌써 술을 몇 통이나 마셔 버렸다.

〈그렉의 방문〉

어느 화창한 오후, 연은 그의 옛 숙소를 들러 주인인 마이클(Michael)에게 인사했다. "어럽쇼! 어이구 깜짝이야! 거기 서 있는 잘생긴 소년이 누구야?!" ─ "안녕, 마이클, 오랜만이야!" "연, 그동안 어떻게 지냈어? 폭스 양반의 단칸방 집은 살기 편안하지?" ─ "그럼, 물론이지. 당신은 폭스 씨와 친분이 있어?" "어떻게 하다 보니 조금 알게 됐어.” 잠시 침묵한 마이클은 몇 초 뒤에 말을 이어갔다, “우리는 여인숙을 개조했지. 깜짝 놀랄 만큼 환경친화적이면서 멋진 인테리어 디자인(interior design)으로 환경학적인 효과까지 신중하게 고려했다고! 아일랜드 사람은 모든 생태계를 존중하거든. 우린 주둥이만 산 ‘아갈싸개([cliii] gobshite)’가 아니니까, 언제 다시 돌아와도 환영해.” – “있잖아, 난 이곳을 잠자리 문제로 떠나지 않았어. 어쨌거나 이번 투자가 잘 되길 바라.”

집에 돌아오니 그렉이 기별(奇別)도 없이 연의 집 앞에 와 있었다. 당시 그는 건물 구석에서 연을 놀라게 해 주려고 기다리는 중이었다, “짜잔! ‘놀랐지롱!’” – “이런! 아니 이거 그렉 아냐! 별안간 나타나다니 매우 반가운걸!” “동감!” – “무슨 바람이 불어서 여기까지 왔어?” “글쎄, 난 그냥 내 친구 연을 보러 여기서 어슬렁거리고 있었지.” 그렉은 흥미로운 듯 그의 방 뒤편에 있는 안뜰을 둘러보았다, “이곳은 대마초를 재배하기엔 최적의 [cliv]텃밭인걸!” 예상대로 그렉의 익살맞은 발언은 그를 실망케 하지 않았다, “네가 뒷마당에 마리화나를 심으면, 운이 좀 따라 주면 크게 한몫 보겠다. 생각해 봐. 그걸 큰 벽장에 은밀히 숨겨둘 수 있잖아. 내 말은, 저 화장실 문 옆에 가려진 옷장에––” – “내 눈에 흙이 들어가기 전엔 안 돼! 객쩍은 소리 그만해!” “유기 농업 같지 않아?” – “우라질! 그 주둥이는 좀 쉴 수 없냐! 근본 없는 자식, 나잇값 좀 해! 도대체 이치에 맞지 않잖아!” 연은 그렉을 [clv]“입방

귀"를 뀌며 조소하였다. "헛소리하다니 정신이 나갔구나!"

〈식중독〉

그날은 주말이고 막 동이 트고 있다. 이른 시간인데도 무어−가 (Moore Street)에서 리들(Lidl)까지 시장 가게 주변은 수레로 이동하는 노점으로 꽉 차 있었다.

연은 아침 일찍부터 무어가에 있는 리들로 갔는데 거리에서 행상인이 다양한 물건을 도부 치고 있다.

빵, 우유, 고기는 서양에서 주식이라 상대적으로 싸다. 그러나 그 외 대부분의 유제품은 그리 싸지 않았다.

연은 산더미만큼 식재료를 샀고 달걀이 든 골판지 박스는 눌려 깨지지 않게 제일 위에 올려놓았다. 뭐, 당분간 음식 걱정은 없을 듯하다. 그는 손수레도 없이 짐을 들고 집까지 끙끙거리며 걷느라 등골이 빠질 정도로 애를 먹고 있었다. 바로 그때 한 차가 리들 맞은편에 있는 센트라의 ATM 기기로 돌진해 그곳이 수라장으로 변했다. 리들에서 나오는 중에 코앞에서 난장판을 목격한 연은 후유 하고 가슴을 쓸어내렸다.

그날 저녁 연은 독일 대형 할인 연쇄점인 리들에서 믿을 수 없을 정도로 싼 특가로 파는 돼지고기를 먹은 후에 밤에 참을 수 없는 욕지기가 났고 등에 진땀이 흘렀다. 가벼운 식중독이었다. 바로 다음 날 그의 몸 상태는 전날같이 아주 안 좋진 않아서 연은 창백한 안색을 한 채 트리니티 대학에 일을 보러 갔다. 그는 식중독에 걸린 후 아무것도 먹지 않았다. 어찌 보면 무식해 보일 수 있지만, 어떻게 하면 치료에 도움이 되는지 동물적 본능으로 알고 있었다.

그다음 날, 연은 아직 쉬어야 했지만, 집에서 시체처럼 누워있는 대신 가볍게 산책하러 나가기로 마음을 정했다. 그가 트리니티 대학 ^{clvi}교정(校庭)의 가장 큰 안뜰에서 비둘기에게 모이를 주고 있는데 화창한 상공에서 뱅뱅 돌며 배회하던 갈매기가 근처에 내리더니 날개를 크게 펼치고는 센 척 허세를 부리며 주변 비둘기들을 쫓아 버렸다. 또한 그것은 위협적으로 달려들어 아직 남아 있던 도시 비둘기를 압도하며 모이를 가로챘다. 그 장면을 지켜본 학생들은 배를 부여잡고 웃었다. '그래도, 아일랜드의 갈매기는 영국의 펠리컨보다 비둘기한테 낫네.' 그러는 와중에 연에게 예기치 않게 복통이 엄습해 괴롭혔고, 그는 급히 화장실로 가야 했다.

(연기 나는 화장실)

연은 담배를 태우면서 마치 다량의 ^{clvii}하제(下劑)를 복용한 양 설사(泄瀉)를 줄줄 했다.

그 순간 한 남성이 그가 있는 화장실 칸막이 바깥에서 언성을 높였다, "도대체 어떤 자식이 화장실에서 담배를 피워?" 연이 입을 열려는 찰나, 옆 칸에 있던 누군가가 그 대신 대답했다, "오, 정말 미안해요. 바로 끌게요." 그러자 그 남성은 대답한 사람에게 그곳에서 흡연하지 말라고 훈계했다.

집으로 돌아오면서 연의 안색은 송장처럼 창백해졌다. 나무 널빤지가 깔린 이든-키(Eden Quay) 벤치에서 도시 비둘기에게 빵 부스러기를 떼어 던져주고 있던 노부인이 그를 보더니 걱정했다, "청년 얼굴이 잿빛이구려. 괜찮은가요?" – "문제없어요. 걱정해 주셔서 고맙습니다, 노부인."

집에 돌아온 연은 아픔을 누그러뜨리려 해열 진통제인 파라세타몰(paracetamol)과 복통 감소 ^{clviii}정제(錠劑)를 섭취하고 알코올로 목을 가셨다. 그는 잠시 후 약의 후속 효과(after-effect) 때문에 곯아떨어졌다. 상비약(常備藥)까지 모국에서 미리 챙겨온 그는 약국에 갈 수고를 덜었다. 그다음 날, 잠을 자서인지 증세가 상당히 호전되었다.

낫자마자 연은 오랜만에 아무 짐 없이 맨몸으로, 가볍게 바람도 쐴 겸 밖에 나갔다. 첨탑으로 가는 길에 그는 소형 말이 짐말로서 조그만 짐을 싣고 걷고 있는 광경을 목격했다. 정확히 표현하면 그건 ^{clix}"꼬마 노새"로, 갈기는 사람처럼 앞이마를 덮고 있는데 묘하게 웃겼다.

〈점박이와 줄무늬〉

집 안 부엌에서 연은 스튜(stew) 요리의 일종인 라구(ragout)를 구상(構想)하고 저번 배탈 사건으로 먹기에 부적합하다고 판정 난 남은 고기와 소채를 냄비에 넣고 있다. 그러나 그 상황이 위험함을 곧 알아채고 과감히 버리기로 했다. 그래도 아쉬운 마음에 주변을 둘러보다 뒤뜰에 어슬렁거리는 고양이들을 발견했다. 그는 때때로 익히다 만 고기나 생고기를 굶주린 고양이에게 사료 대신 던져 주었다. 약간 썩어 숙성된 고기는 그냥 생고기 상태로, 더 썩어 부패에 가까운 고기는 살짝 익힌 후 식혀서 주면서 그는 뒷마당 고양이들에게 친밀감이 생기기 시작했다. 그렇게 안뜰에 상주하는 길고양이에게 창문을 통해 음식을 던져 주는 일이 연의 자잘하지만, 특이한 행동 방식 중 하나가 되었다.

한 화창한 오후, 연은 집 근처에서 고양이가 좋아하는 개박하(catmint)를 발견하고, 고양이들에게 안정감을 주기 위해 모종삽으로 파내 뒤에 있는 안마당에 옮겨 심었다. 그러는 사이 고양이와 연 사이에는 신뢰가 싹텄다. 그가 휘파람을 불 때마다 길고양이들은 도약해 철조망을 넘거나 지붕을 가로질러 안뜰로 들어왔다. 식사 시간 후에 그는 고양이들과 함께 요요(yo-yo)로 놀아 주기도 했다.

(분필을 든 소년)

어느 날 파벨은 연에게 진지하게 말했다, "나 오늘 한 친구랑 물건 clx후무리러 가."

– "뭐라고?! 너 돌았냐? 아니면 뭐가 씌었어? 내가 단언하는데 네 머리가 어디 심하게 부딪쳐 돌지 않은 이상 도둑질은 못 할걸. 왜냐면 내가 아는 파벨은 그런 짓을 할 사람이 아니거든. 지금까

지 남의 물건을 가로챈 적이 없는 사실을 고려해 볼 때 다소 너답지 않다고나 할까?" "난 돌지 않았어. 충분히 제정신이야. 더욱이 난 머리끝부터 발끝까지 진지하다고!" – "그런 날이 참으로 오기나 하겠다! 너의 헛소리와 천치 같은 행동이 날 돌아 버리게 해. 그냥 그 면상 닫고 치워줄래(Just shut and bag your face)?!" "하하! 내 얼굴은 그렇게 유연하지 않다고!" – "자, 그만 떠나지, 파벨! 뭐, 내가 널 보행자 전용 상점가까지 따라가도, 단지 그 사실만으로 날 공범(共犯)으로 만들 수는 없으니까!"

파벨 일행은 헨리-가(Henry Street)로 갔는데 그곳은 ^{clxi}갤러리아(galleria)와 쇼핑몰 천지다. 어느 지점에서, 파벨은 오른쪽으로 돌았다. 그가 휴대 전화를 받고 있는 중에 빌딩 뒤편에서 어떤 남성이 나타났다. 파벨은 GPS 자동차 길도우미 장치를 그의 등-가방에서 꺼내 흥정하기 시작하는데, 처음에는 순조롭다 싶더니 이내 가격 차이로 옥신각신한다. 이럭저럭하는 동안에 근처의 한 누더기를 걸친 아일랜드 사내가 연의 주의를 환기(喚起)시켰다. 연은 그 청년을 호기심으로 지켜보았는데, 파벨과 동료가 흥정하는 건물의 후미진 뒤편에서 그는 색분필로 길바닥에 무언가를 정자(正字)로 또박또박 쓰는 중이다. 흘림체가 아닌 활자체(活字體) 같이 쓴 손-글씨는 왠지 모르게 억압된 느낌을 풍겼다.

"난 아일랜드 지방에서 태어났고 18살입니다. 교육을 꽤 받았고 직접 발로도 뛰며 직업을 구하려고 노력했는데 지금 여기 전

거지입니다. 그들은 내게 비상근직도 주지 않았어요. 정말입니다. 맹세코!"

그 아일랜드 소년조차 자신의 본토에서 천직을 찾게끔 기회조차 주어지지 못했단 사실에 그곳에 서 있던 연의 눈은 촉촉해졌고, 시간이 지날수록 울분에 시뻘게졌다. 그나마 그에게 약간의 위안이라면 파벨이 너무 바빠서 그의 약해진 모습을 발견하지 못했다는 점이다. 만약 봤다면 사내자식이 눈물이나 질질 짜고 있다고 필시 연을 놀려댔을 터이다. 연은 파벨이 눈치채지 못하게 재빨리 눈가를 손수건으로 가볍게 댔고, 그 심연의 절망에 이미 ^{clxii}나락(奈落)에 있는 듯한 느낌을 받았다. 아아! 하아!

연에게 그 분필 사건이 끼친 영향은 무시할 수 없었다. 그는 그 순간 이제 짐 싸서 아일랜드를 떠날 때가 되었다고 느꼈고 중대한 결정을 했다. 연은 아일랜드 청년이 길거리에서 구걸(求乞)하는 현장을 직접 보고, 그의 이야기에 미몽(迷夢)에서 깨어나게 되었고, 일거리 찾던 과거의 기억이 머릿속을 주마등(走馬燈)처럼 스쳐 지나갔다. 아직도 흥정하고 있는 파벨을 힐끗 보며, 갑자기 불편해진 분위기에서 벗어나려고 연은 황급히 자리를 떴다. 그것은 마침내 그에게 서광(曙光)이 비치듯 분명해졌다.

악어의 눈물을 짜내며 유럽의 우파 아일랜드, 중도파 독일, 그리고 좌파 북유럽 국가 등이 그동안 관대한 척해 왔다, '당신을 잘 먹었습니다.'라고… 이는 현재 그렇지 않아 보이는 제삼 세계 국가도 결국 피해 갈 수 없는 문제다. 거래를 매듭짓지 못한 파벨을 홀로 두고 연은 실낱 같은 희망을 상실한 채 떠났다.

***

제9장 꺾인 날개

〈화창한 날의 거지들〉

"연, 우리 가야 할 곳이 있어." – "어딘데?"

"도착하면 알게 돼. 참, 난 네 돈이 다 떨어질 때가 됐다고 생각하는데. 넌 힘들고 위험한 직종도 마다 안 했는데 밥벌이도 못했잖아. 그래도 최악의 상황에 대비해 돈을 좀 저축해 놓았나?" – "쳇! 이렇게 최악인 사태가 빈번히 발생하는 나라에서 저축이라고? 저축이 아니라 저~죽이지." "연 지금 농담할 때가 아니야. 네 생각 이상으로 안 좋은 상황이다. 그동안 얼마나 많이 내가 네 목구멍에 직접 쑤셔 넣어 주면서 마음에 닿게 강조했냐! 넌 지금쯤은 이미 직업을 얻었어야 한다고! 우리는 당장 계획을 수정해야 해. 언제까지 고용주의 결정에 전적으로 들러붙어 의존할

122

수는 없어. '기다림'이란 단어를 믿기엔 우리 처지가 너무 좋지 않아. 지금 우리가 경기 침체에 얽혀 있어서, 자력으로 살려고 발버둥질 쳐 봤자 소용없거든. 이제부터 넌 나만 따라와." – "이 날을 위해 어디 따로 마련한 식량 땅굴이라도 있어?" "글쎄? 자, 출발하자!" 파벨은 그를 데리고 어딘가로 가기 시작했는데 더블린 첨탑을 지나 상당한 거리를 터벅터벅 걸어갔다.

긴 도보 끝에 그들은 어느 한 건물 앞에 멈췄다. 파벨은 연을 보며 씨익 웃는다, "우리는 여기서 조금 더 기다려야 해. 아직 오후 3시가 안 됐어. 교회는 보통 무료 식사를 오후 3시에 제공하거든." – "그러면..." "우리가 일렀지. 따라서 좀 빈둥거려도 괜찮아. 때론 시간을 이렇게 보내는 것도 나쁘지 않네, 그렇지?" 연은 푸른 하늘을 보며 떨떠름한 표정을 지었다, "우리 신세가 꽤 clxiii영락(零落)하네. 이렇게 구걸할 정도로 스스로 미천(微賤)해 져야 하나? 거지도 이런 상거지가 따로 없군." – "굶어 죽기보단 낫지." 그들은 대성당이 내려다보이는 근처 언덕의 잔디에 누웠다. 아일랜드의 풀은 날씨 때문에 해가 며칠 내내 쬐지 않는 이상 대체로 영국처럼 습기가 차고 눅눅했다. 늘 그렇지는 않지만 한번 해가 뜨면, 강렬한 방사형 햇살로 인해 상대적으로 보송한 북유럽 풀과는 대조적이다.

"무엇을 멍하니 생각해, 연?" – "그냥 공상의 세계에서 연금술사가 되어 clxiv비금속(卑金屬)을 금으로 바꾸고 종국에는 나까지 다이아몬드(diamond)로 변하는 clxv백일몽(白日夢)을 꾸는 중이야. 지금 궁지에 빠진 데다 완전히 곤죽이 되어, 이런 망상이라도 안 하면 미칠지도 몰라." "글쎄, 만약 네 몸이 다이아몬드가 된다면 넌 즉시 사라질걸? 왜냐면 사람들이 서로 네 살을 뜯어가려 테니까." – "회전초가 지나가네! 썰렁하다, 파벨!"^{clxvi} "넌 미국인이 아니라고, 연!" – "영어를 쓰는데 원어민식 표현을 써야지! 그럼 뭐라고 하나?" 그때 파벨이 무언가를 쳐다보았다.

"쉿! 저 ^{clxvii}영계(-鷄) 좀 봐! 반나체의 계집애들이 저기 있네. 환상적인 날씨가 우리에게 여성 일기 예보자 말고 비키니(bikini) 여자애들을 보내주었어. 더할 나위 없구먼! 헤헤!" – "아이고, 이런 얼뜨기야! 그래도 네가 나의 '좋을 때만 친구(fair-weather friend)'가 아니라 정말 다행이야."

오후 3시가 되자, 파벨의 말대로 교회 문이 활짝 열렸다. 그는 연을 바라보며 씩 웃었다, "자, 슬슬 움직이자!"

문 근처에 쥐새끼 한 마리 보이지 않는 때는 잠시뿐이었다. 곧 빈궁(貧窮)한 자들이 떼로 몰려들었다.

"여기 이름을 적어 넣어 주세요!" 교회 문 안쪽에 있던 여성 자원봉사자가 간략(簡略)하게 필요한 내용만 전달했다. 그녀의 옆에 있는 젊은 ^{clxviii}부제(副祭)인지 집사(執事)인지 모를 남성이 몰려든 비참한 자들의 이야기를 들어 주는데 그중에는 ^{clxix}농아(聾啞)도 있었다. 파벨이 먼저 그의 이름을 적었고, 그들은 군대 식당 같은 빈민 무료 급식소로 들어갔다. 배식 중에 한 거지가 요리사에게 음식을 좀 더 달라고 간청하자 식량을 배급하는 장애 여성이 수프(soup)를 국자로 퍼 주며 물었다, "이 정도면 충분해요?" – "아뇨, 더 주세요." 그 거지는 체면치레(體面-)하기엔 너무 굶주려 있었다.

연과 파벨은 식사를 배급받은 뒤 탁자의 의자에 앉았다. 파벨이 연을 보더니 호탕하게 웃는다, "하하, 그리 나쁘지 않네. 자, 배 속에 쑤셔 넣자! 마음껏 먹어도 돼." – "대단한걸, 파벨! 돈 없이 어떻게 공복감을 피하는지 알려 주려 여기까지 날 데려오다니!"

연은 빵을 크게 한입 물었다, "어럽쇼?!" 빵은 곰팡내가, 우유는 쉰 맛이 났다. "과하게 발효된 음식을 먹으니, 눈에서 별이 보이네! 뭐, 난 지금 상황을 어떡해서든 견디고 할 수 있는 데까지 해야 한다고." 연은 그들이 자리한 식탁 건너편 벽에 붙은 4컷(cut)짜리 슈퍼맨 연재-만화를 쳐다보았다.

"포르노(porno) 여성: 당신이 콘돔 없이 여성들과 성교하면, 필시 에이즈(AIDS)에 걸려요, 슈퍼맨.

슈퍼맨: 난 슈퍼맨이라고! 그런 일은 내 생전(生前)에 절대 발생하지 않소!

포르노 여성: 글쎄요, 그렇다면 그녀가 덜컥 임신이라도 하면 어떻게 되죠? 당신은 낙태 지지자는 아니잖아요, 그렇지요?

슈퍼맨: 이거 원, 난 정관 수술을 했소."

파벨도 그 만화를 보며 연에게 소감을 묻는다, "이봐, 저 슈퍼맨 포스터(poster)를 어떻게 생각해?" – "글쎄, 난 그냥 저 슈퍼맨(Superman)이 ^clxx '스펌맨(Sperm-man)'은 아니라고 봐."

　그들이 농담하는데, 근처에 있던 한 그리스(Greece) 남성이 벌떡 일어나더니 소리쳤다, "우리가 왜 이렇게 살아야 하죠? 그리스의 사례를 생각해 봅시다. 우리 나라는 영어, 신화, 정치학 등 학문과 문화의 기원인 곳입니다. 그런 우리가 구걸할 수밖에 없는 처지가 됐다고요?! 오, 맙소사! 굶어 죽을 바에야 난 차라리 666의 지배를 받는 편이 낫겠어요." 이에 파벨이 그리스 청년에게 일갈(一喝)했다, "그 망할 볼멘 입 좀 그만 징징거리지?! 도대체 이 뭐 병--" 연이 침착하게 파벨의 말을 손짓으로 가로막고 나서 그리스 청년에게 자신의 의견을 표현했다, "당신들의 교만(驕慢)이 스스로를 따돌렸죠. 그리스는 영어와 문화의 기원이 맞지만, 그것만으로 영원히 번영하기엔 충분치 않습니다. 당신 나라는 낙원처럼 아름다운 곳이나, 이 세상에 더 이상 낙원이란 존재하지 않습니다. 과도한 자만(自慢)을 던져 버리고 판도라(Pandora) 상자의 깃털처럼 날아갈 듯 상쾌한 희망으로 일어서서 가지고 있는 것을 세상에 보여 주세요. 우리와 기탄(忌憚)없이 얘기해 주셔서 감사합니다." 그러자 그리스 청년은 울음을 터뜨렸고, 거기 있던 모든 사람이 훌쩍거렸다. 그들이 처한 시대는 EU의 과도기에다 미래의 EU에 남겨진 통합 채무까지 많아 힘든 시기다.

　어느 하루, 많은 사람이 줄을 지어 축구와 럭비(rugby)의 혼합 형태인 게일 축구 시합이 열리는 크로크 파크로 행진하고 있다.

사방에서 이어진 행렬은 끊이지 않았고 더블린 거리 전체를 뒤덮을 정도였다. 이렇게나 사람들이 바글거리는 모양새로 보건대, 전국 대회 결승전일 가능성이 높다. 크로크 경기장 근처 집까지 축구광들로 바글바글하자 연은 마치 자신이 초-유명 인사가 된 듯한 착각이 들었다. 흥미를 자아내는 것 중 최고는 복부가 훤히 드러난 심판복을 입은 젊은 여성들이었는데 마치 경기 심판을 보듯이 호루라기를 불며 걷고 있었다.

그 흥미로운 광경을 즐기며 파벨과 함께 집으로 돌아오는 길에, 한 재규어(Jaguar) 승용차가 아스팔트 도로 위에서 자신의 앞을 달리고 있는 자전거에 빵빵거렸다, "길 비켜!" 그러자 자전거 탄 남성은 운전자를 향해 가운뎃손가락을 세웠다, "네가 비켜, ^{clxxi}재그(Jag)!"

"파벨, 저 손가락이 ^{clxxii}에클레어(éclair)같이 달콤해 보여." – "에? 하하, 그건 비유 맞지?" "그럴 리가! 난 지금 여전히 심각하게 배고프다고! 음, 생각해 보니 에클레어보다 '막대생선튀김'이 더 낫겠군."

가난은 고난의 원인 중 하나다. 그나마 다행으로 그는 빚이 없다. 빚을 지지 않고 살아감은 언제든 일어설 수 있다는 장점이 있다. 그렇지만 돈이 없는 상태가 지속되자 의식주 문제 해결이 제대로 되지 않아 그의 강인함은 위축되었고 정신까지 혼미(昏迷)해질 지경이었다. 이런 꼴로 그는 그곳에서 자활하기는커녕 버틸 수조차 없다. 제일 곤궁할 때, 연은 전당포(典當舖)까지 갔다. 한번은 집세를 내려고 그의 전 대통령이 하사한 시계를 맡기려 했지만 거절당했다. 싸구려 수정 시계인 데다가 거래할 만한 상품이 아니라는 이유다. 가지고 있던 돈이 점점 떨어져 가고 그 당시 하루 벌어 하루 때우기조차 안 되는 상황에서 그는 담배도 말 형편이 되지 못했다. 니코틴(nicotine)에 중독된; 엄밀히 말하면 니코틴이 아니지만, 어쨌든 연은 집에서 케케묵은 담배 냄새가 나는 쓰레기통을 샅샅이 뒤지기 시작했다. 그리고 쌓인 꽁초 더미에서 검댕을 잡아 뜯어내면서 분해했다. 얼마 후 상당한 양의 피울 만한 담뱃가루가 모였다. 그렇게 그는 그걸로 변통해 며칠 분량을 더 보충했다.

그리고 연이 당분간 스스로 통금(通禁)한 시기는 아일랜드를 떠나기 불과 몇 주 전이었는데 그건 야간 치안 문제 때문이 아니었다. 그는 당시 유럽의 경제를 파악하기 위해 저녁에 TV를 보고 있었다. 여러 정치인, 경제학자, 은행가가 서로 맞대면해 TV 회견을 하며 금융 위기를 어떻게 헤쳐 나갈지에 관해 논의했다.

형식은 공개 토론회라기보다 특별 회의에 가까웠다. 그들은 솔직하게 그들 나라가 파산 직전이라고까지 표현하며 장밋빛 희망을 기대하기가 어렵다고 툭 까서 털어놓았고, 회의는 얼마 가지 않아 교착(膠着) 상태에 빠진 채 활기찬 토론으로 진전되지 못했다. 그만큼 나라의 경제가 절망적이고 어떻게 감당할 수가 없는 실정이었다. 그들은 모두 창조력이 결여(缺如)된 좀비 자본주의의 희생양이다. 금리나 환차익을 노리는 투기적 국제 단기 금융 자금과 과열된 부동산 시장에 의한 금융 거품은 지구촌 전역을 파산에 직면하게 했다. "거품은 싸구려일 뿐이야; Bauble Bubble!"

〈야스민〉

오랜만에 연이 수업을 받으러 들어오자, 야스민이 그를 반짝거리는 눈으로 쳐다보았다, "그 옷을 입으니 멋쟁이구나, 연! 진짜 끝내줘! 지난번에 네가 면도까지 깔끔하게 하고 멋들어지게 정장을 입고 걸어가는 모습을 봤는데, 정말 매트리스(The Matrix)에 나오는 키아누 리브스(Keanu Reeves)인 줄 알았어!" 평상시라면 그녀의 칭찬에 입을 헤벌쭉할 연이지만 그날따라 그의 표정은 어두웠다. 연의 사정을 들은 후 야스민은 무언가 굳은 결심을 한 듯 단호히 말했다, "난 네가 홀로 일거리 때문에 발버둥이 치는 상황을 좌시하고 있지만은 않을 테야!"

연이 구직 문제로 골머리를 앓고 있다는 사실을 알자마자 야스민은 기꺼이 그의 입사 지원서를 분담해 그녀가 일하고 있는 곳의 지배인에게도 부탁하는 등 그 대신 열심이었다. 그것은 사실 연에게 관심이 있거나 단순히 호감이 있는 정도를 넘어선 행동이었다. 어느 날 야스민은 그에게 그랜드 카날 독(Grand Canal Dock)의 북쪽에 있는 그녀가 일하는 곳에 한번 들르라고 했다.

일주일 뒤, 수업이 없는 날 연은 곧바로 수로 인근에 있는 야스민의 일터를 찾았다. 그녀는 편의점 안에 있는 간이식당에서 일하는 중이다. 연이 들어서자, 야스민은 환한 웃음으로 그를 맞이했다, "안녕, 연! 뭔 바람이 불어 여기까지 왔어?" – "그냥 너 보려고 불쑥 들렀지. 네가 그러라고 저번에 말했잖아." "잘됐네! 교대 시간이 마침 지금 끝났어. 잠시만 기다려." 야스민은 직원 탈의실로 들어가 몇 분 뒤 제복을 평상복으로 갈아입고 나왔는데 그녀가 한 자수정(紫水晶) 목걸이가 유독 도드라져 보였다. 그녀는 연을 보고 활짝 웃었다, "뭐라도 좀 먹을래?" – "아니, 괜찮아. 방금 점심 먹고 왔더니 너무 배불러서 허리띠를 풀 수 없을 정도인걸. '내가 배부르다고? 참 터무니없는 거짓말이군!' 뭐 마실 거나 다른 거라도 어때?" "술? 난 술 잘 안 마셔," 야스민이 고개를 저었다. " clxxiii 카이피리냐(caipirinha)나 clxxiv 피냐 콜라다(pina colada)라도 싫어?" – "별로!" 야스민은 탈의실에 다시 들어갔다 나오더니 연에게 사사파릴라(sarsaparilla)를 주었다, "자 여기!" – "이게 뭔데?" "사사파릴라라고 부르는 음료야. 몸에 좋으니 마셔 둬."

그녀에게 잠깐 들른 후 그들은 절친하게 되었다. 시내로 돌아오면서, 야스민은 보도 옆 교회 앞에서 걸음을 멈추고 연을 바라보았다, "이곳이 내가 예배(禮拜)하러 가는 교회야. 언제 나랑 같이 갔으면 좋겠어."

〈연, 교회에 가다〉

"이제 야스민을 만나러 슬슬 떠나야겠다. 오늘은 그녀가 쉬는 날이지." 주말이 되자 연은 야스민이 다니는 교회에 들렀다. 아

130

이들은 들떠서 그녀가 예배 보는 교회 앞마당에서 깡충깡충 떠들며 뛰어놀고 있었다. 꼬마 아이들이 노는 모습을 묵묵히 구경하고 있던 연은 앞뜰에 있는 흙더미를 가리키며 짓궂게 농담했다, "안녕, 꼬맹이들! 죽은 사람이 저기 묻혀 있어!" 그러자 아이들은 한술 더 떠 노래한다.

<잭 더 리퍼>
잭, 꼬집는 사람이 그의 걸작이 어디 묻혔는지 알려 주네
잭, 베는 사람이 그 무덤을 팔 수 있으면 파보라고 하네
잭, 젠체하는 사람이 우리가 어리다고 놀려대네
아래로 파 아래로 얼굴이 두꺼워질 때까지

연이 야스민을 교회 안에서 발견했을 때 그녀는 열성적으로 기도(祈禱) 중이었다. '독실(篤實)한 신자로군.' 그가 그녀 옆으로 슬쩍 다가가자, 야스민은 연이 온 사실에 기뻐서 밝게 웃었다. 마이크(mike)를 잡은 성직자 옷을 입은 목사가 단상에서 노래를 부르고, 천장(天障)에 매달린, clxxv 오토큐(Autocue)인지 가라오케(Karaoke) 장치인지 모를 큰 모니터에 시선을 고정한 회중(會衆)은 그의 노래를 따라 부르고 있었다.

찬송가(讚頌歌)가 끝나자, 목사는 바퀴 달린 의자를 탄 노부인을 신도들에게 소개했다. "보시다시피 난 불구(不具)인 앉은뱅이예요. 제가 10살 때 사고에 의해서 이렇게 되었죠. 양쪽 슬개골

(膝蓋骨)은 산산조각나고 종지뼈 수술을 해야 했습니다. 그런데 도 차도(瘥度)를 보이지 않아, 그 이래로 난 하반신불수(不隨)인 채 휠체어(wheelchair)에서 살게 되었어요." 그 노인은 그래도 신이 그녀를 축복했고, 비록 불구가 되었지만, 지금까지 삶의 기 쁨을 누리고 있다는 둥 틀에 박힌 진부한 연설(演說)을 늘어놓 았다. 긴 연설이 끝나자, 목사는 그녀의 말을 이어받아 똑같이 케케묵은 설교로 그녀가 어떻게 그 이후 쭉 행복하게 살아왔는지 강조했다.

예배가 끝난 후, 야스민은 쿠키(cookie)와 음료를 나누어 주는 교구 목사와 인사를 나누었고, 밖으로 나와 집에 성경이 한 권 더 있다며 연에게 시간 날 때 읽어 보라고 가지고 있던 그녀의 성경을 빌려주었다. "[clxxvi]경외서(經外書)는 없어?" ‒ "그건 전문 연구가용이야, 연. 난 그냥 평범한 신도라 그런 책은 하나도 없 어." 연이 그녀의 말에 수긍(首肯)하며 고개를 끄덕였다, "음, 이 게 나한테 효험(效驗)이 없다면 난 곧바로 강제 귀환이라 너희 브라질 애들의 삼바(samba) 춤을 앞으로 볼 수 없게 돼." ‒ "연, 신은 우리에게 돈을 주진 않으셔. 그렇지만 만일 네가 같이 살 의지가 있다면..." 그녀는 중얼거리듯 작아지는 목소리로 말했는 데 목소리와는 달리 열망하는 눈빛에 연이 고개를 갸우뚱거렸다, "무슨 의지?" ‒ "아니, 아무것도 아니야. 신경 쓰지 마." 그녀는 마치 그에게 품은 강한 감정을 떨치려는 듯 머리를 가로저었다.

학교에서 브라질인에게 연은 [clxxvii]자코모 카사노바(Giacomo

Casanova)와 [clxxviii]"통제광(Mr. Control Freak)"으로, [clxxix]"양면신(兩面神)"과 같았다. 연은 다정다감하고 그들이 관계된 일에 관심을 가지고 신경 써 주었다. 한편으로 그는 다른 브라질 남성들과 다를 바 없이 매력적인 브라질 여성과 키스하고 애무했다. 단 섹스는 하지 않았는데 그게 오히려 여성들이 그의 사랑을 갈망케 했다. 그러면서도 [clxxx]호협(豪俠)하여 성별을 가리지 않고 인기 있는 사내였다. 단, 마리아징야(Mariazinha)라는 쿠바계 브라질 소녀와의 관계는 예외였다. 연은 그녀를 친동생처럼 여겼다. 어느 하루, 그녀가 연에게 자신이 유모 직업을 얻었다고 자랑하자 그는 그녀를 훈계하기 시작했다, "지금 무슨 말을 하고 있어?! 그게 무슨 의미인지 잘 알 텐데. 너 같은 청소년이 유모가 된다고? 그건 [clxxxi]오페어(au pair)가 아니라고!" – "그게 무슨 대수인데요, 참견쟁이 씨?" "마리아징야, 난 네가 더러운 일을 하게 놔둘 수 없어. 우선 먼저, 네가 아이를 볼 수는 있지만 늑대를 키울 상황도 고려해 봐야 해. 남자들은 단순히 아이를 맡기려고 어리고 예쁜 여자애를 고용하지는 않아. 널 꼬셔서 같이 자려 할 뿐이지." 그러자 마리아징야는 깔깔거리며 연을 쳐다보았다, "연은 스스로 고상하다고 생각하나 봐요, 실제로는 방탕하면서?" – "그러는 넌 섹스가 미용 체조라도 되는 줄 착각하나 보지, [clxxxii]앙큼한 왈가닥아?" "뭐, 흔쾌히! 섹스가 나쁘진 않죠. 연이 내 아빠가 된 지금 엉덩이라도 찰싹 때려 보시지 그래? 어?" – "글쎄, 난 소꿉놀이 좋아하는 변태는 아니야. 그나저나 다시는 그 사내

랑 좋아지내지 마! 안 그러면 난 널 갈보로 취급한다?!" "남 사
생활 들추거나 여자의 마음을 희롱하지 마요. 그 위선으로 운명
의 여신이랑 시시덕거리며 그녀를 침대에 눕혀 보지 그래요? 과
연 그녀가 당신에게 빠질까요? 난 그렇게 생각 안 하는데. 왜냐
면 성공했다면 이렇게 살지는 않겠죠. 당신은 지금 무척 한심해
보이거든요." ㅡ "좋아, 인제 그만! 화해다, 화해! 내가 경솔히 말
했어. 내가 마리아징야 너에게 편협한 마음을 가졌던 모양이야.
난 네 아버지도 아니고 확실히 알지도 못하면서 내 견해를 강요
할 수는 없지. 내 탓이다(mea culpa)." "그래요, 당신 잘못 맞아
요(tua culpa)!" '내가 왜 그랬는지 도무지 모르겠어. 나도 건방
진 애송이일 뿐인데 왜 그녀의 사는 방식에 관해 잔소리를 늘어
놓았는지.'

⟨폭스의 꽃⟩

폭스를 보러 연은 그의 집에 갔는데 정면 현관 입구가 닫혀 있
었다. 그는 폭스의 소재를 묻기 위해 이웃집 초인종을 눌렀다.
왜냐면 그 집 또한 폭스 소유임을 알기 때문이다. 그가 안으로
들어서자, 한 아시아인 청년이 거실에서 영국 케이블(cable) TV
를 보고 있다. 텔레비전은 유일하게 폭스 건물이 아닌 바로 옆
건물의 선을 허락도 없이 따와 연결된 상태였다. "저 마귀할멈이
즉위(卽位)한 지 지겨울 정도로 오래되었지만, 왕위의 첫 계승자
인 장남을 위해 ^{clxxxiii}양위(讓位)하려는 기미조차 보이질 않네,"

그는 마침 뉴스에 나오는 영국 여왕을 보며 혼자 중얼거리고 있었다. 연은 그의 혼잣말이 끝날 때까지 침묵을 지켰고 그 아시아 남성은 곧 뒤돌아보더니 연에게 말했다, "그거 알아요? 폭스 씨의 clxxxiv '전리품 아내(戰利品 -)' 말이에요. 그의 어린 아내는 나이지리아(Nigeria) 출신이죠. 그러나 난 그녀가 폭스 씨의 트로피(trophy)가 아니라 폭스 씨가 그녀의 트로피라고 생각합니다. 생각해 봐요. 그는 수십 년 더 살기엔 이미 너무 늙었고 그의 아내는 이제 이십 대 초반이고요. 그가 기껏 10년 살고 죽으면 그땐 그의 유산이 전부 그녀의 소유가 되겠죠. 별거나 이혼 위자료(慰藉料)보다 훨씬 낫다고요. 그래서 그녀는 늙은 남편에게 천사처럼 행동하죠. 물론 저 TV 속 영국 노파 밑에서 충성을 맹세하는 사람보다는 낫지만." '대관절(大關節) 이 불편한 사람은 누구지? "전리품 남편"은 또 뭔데? 좀 성가신 타입이군,' 연은 살짝 미간을 찌푸렸다. 그는 지체(遲滯)하지 않고 그곳을 떠나며 폭스에게 전화했다, "여보세요, 연입니다." – "오, 그간 별일 없이 잘 지냈나, 나의 벗이여! 무슨 일인가?" "제 방의 등이 모조리 나갔어요. 전구가 죽은 건지, 전력선이 끊어진 건지 저로선 도무지 알 수가 없네요." – "이런! 알겠네. 곧 자네 집에서 보지." 연의 집 지주인 폭스는 그의 전화를 받자마자 바로 왔다. 폭스가 그의 집으로 들어왔을 때, 연은 이미 문 앞에서 그를 기다리고 있었고 그들은 같이 내부를 둘러보았다. "내 말 명심하게. 정전이 일어나면, 이 퓨즈-상자(fuse box)에 있는 스위치(switch)를 당겨서

켜면 만사 해결이네." 그의 건물을 떠나며 폭스는 한 가지 더 귀 띔했다, "자네가 알아야 할 사항이 한 가지 더 있네. 쓰레기봉투 를 홀 입구 앞이나 아니면 뒷문을 통해 안뜰에 놔둬도 되네. 굳 이 종량제 우표 붙이는 수고를 할 필요가 없지. 그럼, 편히 쉬게!"

연은 그의 집을 이따금 방문하는 폭스로부터 특이한 향을 느꼈 지만, 물어볼 기회가 없었다. 그러다 어느 날 폭스가 불쑥 방문 했는데 지주로서가 아닌 친구로서 연의 집을 찾아온 적은 처음이 었다. 그는 연의 스튜디오-집 문을 노크(knock)했다, "여, 연! 방에 들어가도 되겠나? 문은 열려 있네만." - "폭스 씨? 잠시만 요!" 그의 방은 방문객을 바로 들어오라고 하기엔 너무 어수선했 다. 대강 급히 치운 후, 연은 목소리를 가다듬었다, "네, 됐어요. 들어오세요!" 그러자 폭스가 들어왔다. "일단 편히 앉으세요." 그 는 탁자 앞 의자에 앉아 담뱃불을 붙였는데 독특한 향내가 났다. 폭스는 그렉처럼 마리화나를 흡연하는 중이다, "요즘 자네에게 무슨 일이 있는 듯 보이는군. 한번 들어나 봐도 되겠는가? 내가 도움이 될 수 있을지도 모르니." - "좋아요, 전 사실 현재 경제적 으로 불안정한 상태예요. 빌어먹을 돈도 다 떨어져 가고." 폭스 는 연이 월세가 부담될 정도로 가난에 쪼들려 아직 돈이 약간이 라도 남아 있을 때 아일랜드를 떠나려 한다는 얘기를 듣고 안타 까워했다. 그는 지난달 전기와 수도 사용료를 대신 내주겠다고 제안했다. 단, 다음 세입자 구하는 일을 거들어 주는 조건이었다.

다음 주 어느 화창한 오후, 연은 살인 사건이 발생한 인근 가게 앞에서 폭스와 우연히 맞닥뜨렸다. 그는 무언가를 말면서 이어 붙이고 있었다, "그게 뭐예요?" – "꽃([clxxxv]flower)이라네. 난 최근에 관절염이 있어서 피우고 있네. 끔찍할 정도로 고약한 날씨가 증세를 더 악화시키거든. 자네도 좀 해 보려는가?" "꽃이라... 흠." 그는 그쪽으로 너무 순진해서 "꽃"이란 단어가 의미하는 바를 알지 못했지만, 폭스의 눈은 진짜 치료를 위한 목적이라고 진실을 말하는 듯했다. 폭스는 그에게 소량의 정체 모를 가루를 주었고, 얼떨결에 받아 별 의심 없이 자리를 뜨는 연을 보면서 혼자 중얼거린다, "그 무엇도 [clxxxvi]'아카풀코 골드(Acapulco gold)'처럼 기분 좋게 취하게 하는 건 없지."

연은 집에 와서 그 가루로 담배처럼 말았다. 피우는 순간, 그는 이른바 "날아간" 듯한 착각에 빠졌다. 대마초다! 하지만 그건 그렉이 그에게 피우라고 준 마리화나와는 꽤 차이가 있었다. 기분이 좋아진 연은 집 밖으로 나왔다. 청명한 하늘과 따사로운 햇살이 그를 맞이하자 그는 진짜로 하늘을 날고 있다고 느꼈다. 그렇다! 그건 순도 100%의 고급 마리화나 꽃봉오리였다.

연은 더블린 첨탑 쪽으로 걸어갔다. 갑자기 한 20대 이탈리아 남성이 그에게 말을 걸었다, "실례합니다! 당신과 말 좀 나누고 싶은데요." – "잠깐, 당신 이탈리아 사람인가요?" 그 청년은 고개를 끄덕였다. "이탈리아에서는 대개 날씨가 화창하죠?" – "다분히 (多分−)!" "다 로마로다(Amore, Roma)!" – "뭐라고요?" "그건 [clxxxvii]회문(回文) 중의 하나입니다. 난 언젠가 이 지구에서 사람들이 사는 이유에 대해 환호하는 소리를 듣고 싶네요."

〈검은 천사〉

교포 슈퍼마켓 안의 민족 전통 음식을 전문으로 하는 간이식당에 간 연은 늘 앉던 곳에 자리를 잡았다. 그가 막 숟가락을 들려고 하는데, 한 아라비아 여성이 4~7살 정도로 보이는 어린 딸과 함께 그에게 다가오더니 음식을 구걸했다. 연은 자신도 영양실조로 말라가고 건강하지 못한 상태임에도 그 불우(不遇)한 어린아이를 도와야겠다는 의무감이 들었다, "매우 안타깝지만, 난 당신들에게 당장 음식을 사줄 돈이 없어요. 내 저녁이라도 괜찮다면 드셔도 됩니다." 연은 그의 음식을 나누어 주고 그들이 먹도록 자리까지 마련해 주었다. 아라비아 모녀는 앉자마자 게걸스럽게 그의 식사를 먹어 치우기 시작했다. 이를 본 요리사로 일하는 동포녀가 연에게 득달같이 달려들어 맹렬히 비난했다, "당신은 남은 음식으로 그들에게 생색을 내면서 스스로 마음이 따뜻하다고 생각하나요? 당신이 우리 가게 음식을 거지에게 준 이상, 그들은 앞으로 이런 귀찮게 하는 행동을 계속할 테고 손님들은 다시는 우리 슈퍼마켓에 오지 않으려 하겠죠!"

그 여종업원이 아라비아 모녀를 쫓아내려고 하자 그녀들은 연에게 도와달라고 애원했다. 이에 연이 한 발도 물러서지 않고 맞서며 그녀의 주장을 반박했다, "그게 나랑 무슨 관련이 있죠? 너무 극단적인 조치 아닌가요? 당신이 상관할 일이 아닙니다. 웬만

하면 큰 소리 내지 않으려고 했는데 지금 당신은 날 더는 못 참게 하고 있소. 내가 내 음식을 나눠 주는 데 당신의 허가가 필요합니까? 당신은 유급으로 자기 이익을 위해 이 간이식당에 고용되었잖아요. 선을 넘어서 과하게 간섭(干涉)하면 그냥 지배인에게 빌붙는 아첨꾼일 뿐입니다. 그리고 난 당신의 하수인이 아니고 단골손님입니다. 주제넘게 참견 말고 존중해 주세요. '우리'란 단어에 먹칠하지 마시고요. 난 이곳에서 적법하게 식사합니다."
그러자 난리를 치던 여성은 감히 그에게 대꾸하지 못했다. 연은 정의감도 투철했지만, 무엇보다 그녀에게 아랫사람처럼 취급받아 매우 화가 났다. 그는 그 간이식당뿐만 아니라 슈퍼마켓에도 단골손님이었다. 그 사건 이후로 연은 그곳에 절대 다시 가지 않았다.

(우울함의 끝)

연은 트리니티 대학 쪽으로 오코넬-다리를 건너며 아일랜드를 떠나기로 결심한다. 그가 가는 방향의 다리 끝 오른편에는, 아일랜드 여행사인 'USIT'가 있다. 하지만 그는 그곳에 들어가기를 잠시 망설였다. 이 나라를 떠남은 곧 그의 나라로 돌아가야 함을 의미하기 때문이다. 그리고 그것은 그에게 최악의 선택이 될 수 있었다.

여성 직원은 연에게 몇 가지 기본 사항을 묻고 항공편을 예약한 뒤, 잠시 잡담을 하면서 그에게 행운을 빌어 주었다. 처음에 그녀가 사무적으로 말하는 동안에는 그녀의 발음에 대해 이상한 점을 눈치채지 못했다. 그러나 부담 없이 사적으로 말할 때 그녀의 출신이 드러났다.

"실례지만, 당신 이탈리아 사람인가요?" 매우 밝은 귀를 가진 연은 이미 확신이 섰다. "네, 그래요. 어떻게 내가 이탈리아인임을 알았죠?" 연은 싱긋 웃었다, "당신의 억양으로 드러났죠." – "와, 그거 놀랍군요!" 그녀는 쑥스럽게 웃더니 그에게 비행기표를 건네주었다.

막상 표를 받아 들자, 그의 안색은 어두워졌다. 쓸쓸히 집으로 가는데 천둥소리와 함께 비가 쏟아진다. 연이 집 근처에 도달하자 그로부터 약간 떨어진 곳에 있던 한 아시아인이 소리쳤다, "어이구 깜짝이야! 뭣 때문에 믿을 수 없을 정도로 맑았던 날씨가 저주받은 아일랜드 날씨로 돌아왔냐?!"

(연, 날개를 달다)

그로부터 며칠 후 연은 존을 시내에서 마주쳤다, "안녕, 존! 우리 꽤 오래 서로 못 본 듯하네." – "안녕, 연! 그래! 마치 몇 년 된 느낌이야." "이야! 몰라보게 달라졌는걸?! 존, 너 좋아 보여. 요즘 어떻게 지내, 친구? 차나 마시자!"

카페에서 그들은 이야기를 계속했다. "저, 이거-- 어, 음-- 난 그동안 레스토랑에서 일하면서 말 더듬는 증상을 극복하려고 노력했어. 네가 말한 대로 했더니 난 더 이상 더듬거리는 영어로 말하지 않게 되었지. 발음 장애 교정으로 날 도와준 데에 정말 감사해." – "잘됐네! 네가 나중에 진짜 평생의 직업을 가지게 되면, 날 잊지 마, 친구" "물론! 넌 언제나 나의 성실한 친구이자 대장이야. 그나저나 어디 가?" – "어, 나 내가 도저히 융화(融和)될 수 없는 나라인 고국으로 떠나. 상황은 점점 더 걷잡을 수 없이 되어가고 여기서 난 직업을 찾다가 끝나 버렸지. 너와는 다르게 단순 노동직조차 얻는 데 실패해서 무척 난감해." "맙소사! 네 나라로 돌아가는 꼴을 보고만 있어야 한다니 심히 안타깝네. 내가 그간 보아온 연은 나에겐 거인이었어. 아마도 신은 너의 언어적 재능이 녹슬기를 바라지 않았을 거야. 나를 포함해 이미 네 친구인 유럽도 마찬가지지. 그리고 이건 일생에 단 한 번뿐인 기회는 아니야." – "이젠 번지르르하게 느끼한 말을 할 줄도 아네. ᶜˡˣˣˣᵛⁱⁱⁱ'눌변가(訥辯家)'에서 능변가(能辯家)가 다 되었어, 아주! 웅변(雄辯)의 신인 '엉덩이 돌'에 키스라도 했니?"

"말뿐이 아니라고! 자 여기 받아!" – "이게 뭐야?" "그건 우리 집 가보 중 하나인데 유서 깊은 깃 모양의 펜(pen)이야. 하늘에 맹세코 진짜 익룡의 날개 화석(化石)을 삽입해 특별하게 가공했지. 그동안 날 도와준 데에 대한 보답이야. 행운을 위해 항상 지니고 있어! 그 펜으로 머지않아 연, 네가 날개를 펼치길 바라." – "나도 한 가지 빼 먹은 중요한 말이 있는데, 난 네 말처럼 절대로 내 자유 의지를 이 세상의 부자에게 매도하지 않을래. 이건 내가 일생에 받아본 가장 소중한 작별 선물이야. 고마워, 존!"

〈침체〉

고국으로 돌아가기로 마음먹은 후, 연은 성가신 출석률을 신경 쓸 이유가 없어졌다. 그래서 그는 무단-결석자(無斷缺席者)처럼 수업에 빠지기 일쑤였고 그가 꿈꾸던 세상이 끝나기 일주일 전, 교과서를 휴지통에 던져 버리고 어학당을 그만두었다. 그는 심지어 그동안 애면글면 검약(儉約)하기 위해 가계부를 써 왔던 일도 포기하고 아일랜드를 떠나기 며칠 전 은행에서 잔돈을 전부 인출하였다. 그러자 금전 출납원이 연에게 계좌를 폐기해도 괜찮냐고 물었고 그는 고개를 가로저었다, "그냥 놔둬요."

마지막으로, 방을 치우며 불필요한 짐을 줄이자 어수선했던 마음도 같이 정리되었다.

이럭저럭하는 동안, 연은 절망이란 깊은 늪에서 빠져나오지 못했고 특유의 대담무쌍함까지 잃어버렸다. "내가 태어난 나라로 돌아가야 한다면 그녀를 다시 볼 수 있을까? 그냥 사람의 발길이 닿지 않은 자그마한 골짜기로 도망가 수렵 채집 생활이나 하며 살까? 갑자기 시가 흘러나오는구나!"

〈유랑〉

작은 골짜기여 너의 용맹함을 들려다오
아랫지대 사람에서 어떻게 하이랜더가 되었는지를
자란 골짜기여 고지대와 모계곡이여

너의 산고를 메아리쳐다오 진리를 위해

작은 골짜기여 주머니 피리를 불어다오

전 세계에 걸쳐 용맹한 피리 부는 사나이들에게

큰 골짜기여 바람종을 불어다오

틈새에서 틈새로 바람의 소리를 들을 수 있게

"이번에 내가 태어난 국가로 돌아가면 난 절대로 운명의 굴레에서 벗어날 수 없을 텐데." 그의 말대로 "절대로"는 아니지만 그때 이후로 적지 않은 세월이 흘러야 했다. 연이 현실 세계와 인터넷에서 이전 삶의 자취를 완전히 없애고 경제적으로 나라로부터 독립하여 나간 시기는 그로부터 십여 년 뒤였다.

하필 그가 해외로 이주하려 했을 때가 세계 금융 거품이 터져 지구촌 곳곳으로 흘러 들어간 매우 안 좋은 시기였다. 특히 아이슬란드, 아일랜드 등은 국외 자본이 자국 경제의 중추적 역할을 맡았던 점을 고려하면 심각하게 영향을 받지 않을 수 없었고 도미노처럼 줄줄이 무너졌다. 경기 침체 여파로 수많은 아일랜드 사람이 직업을 잃었다. 이에 아일랜드 지역 선거 때에 발맞추어 방방곡곡(坊坊曲曲)에서 시위에 불이 붙었다.

"잘 들어, 연. 이번에 반드시 우리가 우선 해야 할 일을 확실히 계획하고 착수해야 해. 현재 정치적 추세(趨勢)를 고려하면 이건 마지막 기회야. 지금 즉시 무언가를 하지 않으면, 현재 파산한 상태나 마찬가지인 넌 즉시 이 사회에서 추방당해. 그들이 너에게 비자 연장을 해 줄 리가 없으니까." – "그렉, 너 지금 우리가 정치판에 끼어들어 선거 운동이라도 참여해야 한다는 소리야?" 그렉은 고개를 끄덕여 긍정의 뜻을 표시했다, "정확해! 준비 없이 즉석에서 하는 얘기이긴 한데, 정치인들의 계획대로 선거 운동을 도와주고 정치 집회를 통해 본격적으로 활동가가 돼야 해. 유일한 문제는 선거에서 유력한 우승 후보를 제대로 고를 수 있느냐지." – "같잖은 소리야! 우리가 정당에 가입하더라도 난 법에 따라 보호를 받을 수 없어. 그건 유럽 연합 사람들에게 한정되어 있거든. 사자 자주개자리 풀 뜯어먹는 소리 그만하고 제발 현실로 돌아와, 그렉!"

연은 그때까지 부자가 되는 건 필수 불가결(必須不可缺)이 아니라는 생각이 확고했다. 그래서 그는 돈에 굴하지 않았다. 그 욕망이 적은 사람은 너무나 순진해 단순한 사실을 깨닫지 못했다. 바로 돈이 없으면 전 세계에 있는 그의 친구들조차 계속 만날 수 없다는 현실을. 그는 나름대로 분투하며 친구를 잃지 않으려고 했지만 결국 실패로 끝났다.

하지만 혈기 왕성한 청년이었기에 기회는 남아 있었다. 단지 그가 무엇을 위해 죽을 수 있는지와 어디서 최고가 될 수 있는지를 아직 찾지 못했을 뿐이다.

연이 더블린에 있는 동안에도 그의 나라 사람이 운영하는 맥줏집과 레스토랑, 그리고 그 단골 슈퍼마켓에서 동포들을 종종 채용하곤 했다. 하지만 그를 고용해 주는 곳은 단 한 군데도 없었다. 연은 배신감(背信感)을 느꼈다. 그들이 이미 모국에서 일자리에 쓸 사람을 지정해 고용했다는 사실이 나중에 알려졌다. 그렇다면 도대체 왜 "현재 구인 중"이란 팻말을 가게 문에 걸어 놓았는지 이해할 수가 없었다. '왜 나는 기회의 공을 잡기는커녕 건들지도 못했을까? 동포와 기회의 공놀이를 하지 않아서? 그동안 잘 받아주며 협조한 건 뭔데?' 연은 만감이 교차한 표정을 지었다. 존의 말대로 아마도 운명의 여신은 그가 [clxxxix] "막장-업 (dead-end job)"에 종사하기를 원하지 않나 보다. 욕지기 나도록 반복되는 그들의 빈말과 허울 좋은 태도에 신물이 난 연은 그 이후로 왈가왈부하지 않고 똑같은 방법으로 그의 동포를 무시하였다.

***

제10장 외로운 여행

〈네스호〉

귀국행 비행기를 탈 날짜가 다가오자, 연은 떠나기 전 마지막으로 벨파스트(Belfast)를 거쳐 스코틀랜드 최북단을 도보 여행하고 싶었다. 그렇게 그는 예정에 없던 여행을 떠났다. 북스코틀랜드에 도착하자, 연은 마음속에 쌓인 불만을 털어내며 자연과 동화되었다. 천천히 목적 없이 거닐거나 춤추는 듯한 걸음걸이로 길이 나지 않은 무성한 숲을 헤쳐 나갔고 이따금 멈춰서 스코틀랜드 산의 경관을 즐겼다. 그러면서 그는 한 폭의 그림과 같은 대자연의 숲길에서 아리따운 처자인 엠마와 2인용 자전거를 타고 가는 자신을 상상했다. 그곳의 사시·자작·느릅·단풍·떡갈나무 등 낙엽수(落葉樹)는 태양 광선을 발한다고 느낄 정도로 눈부

시게 느껴졌다. 바람이 나무 주변을 휘감아 돌 때, 나무는 오보에(cxc oboe)가 되어 숲 전체가 연주를 시작한다. 다시 걷는데 이번에는 고음으로 날카롭게 울부짖는 소리가 들린다. 과거 탐험가들의 자취가 남아 있는 골짜기를 지나니 오래되고 헐어 빠진 오두막이 나타났다. 집 안은 의외로 멀쩡했고 여행객이 비바람을 피하기 위한 통나무집같이 보였다. 색-털실로 무늬와 그림을 짜넣은 오래된 천이 판자를 댄 벽에 드리워져 있고 격자무늬로 된 타르탄(tartan) 카펫(carpet)이 바닥에 깔려 있어 그 낡은 오두막은 묘하게 아취(雅趣)가 있었다.

시간이 흘러 주변이 어두워져 가는 사실조차 잊은 채 연은 무언가 골똘히 생각하고 있었다, "내가 우리 나라 사람들과 엮일 때마다 번번이(番番-) 일이 이상하고 복잡하게 꼬여, 나도 모르는 사이에 승기(乘機)의 흐름이 저조해지다 못해 절망에 이르렀지. 난 동포가 필요 없어. 하나도 안 고맙거든!" 그러나 말과는 달리, 그의 민족과 함께해 어떤 좋은 점도 없음을 알면서, 연은 그들에게 긍정적으로 행동했다. 그건 아쉬웠던 사람은 그이고 밑바닥 없는 진구렁에 빠졌다는 현실을 가리켰다.

그래도 연이 외딴섬의 일부 토착 부족을 제외한 지구상의 모든 인종을 만났음은 사실이다. 특히 아일랜드에서 다양한 사람과 함께한 시간은 그에게 무엇과도 바꿀 수 없을 만큼 귀중했다. 석양의 햇살이 황톳빛 낙엽과 다채롭게 어우러져 그의 얼굴에 비스듬히 떨어지고 있다. 그는 나부끼는 잎을 보며 자신도 모르게 "오래오래전"이란 스코틀랜드 민요인 "올드 랭 사인(Auld Lang Syne)"을 불렀다.

이른 저녁을 먹은 연은 버스를 타고 무작정 북쪽으로 향했다. 그가 도착한 곳은 그 모양이 '네시(Nessie)'를 닮은 네스호(Loch Ness)다. 한 시가 기묘한 소리가 나는 어둠 속에서 즉흥적으로 흘러나왔다.

<네시>

어린 네시 새끼야, 안개 속에 물수제비를 뜨는구나 핑 퐁
강기슭 건너편까지 물수제비를 뜨려무나 폭탄이 터지듯 펑
마침내 수면 위로 아래로 위로 자비는 없도다, 구세주여
외쳐라 네시 너의 존재를 알려라 네가 이곳의 왕이라고
안개 그림자의 옷을 두르니 네시가 흑룡으로 바뀌는구나

***

제11장 이별

〈잘 있거라, 유럽이여!〉

연은 아일랜드를 떠나기 전에 마지막으로 어학당에 잠시 들렀
다. 마침 쉬는 시간이어서, 교실 곁방인 좁고 긴 대기실은 며칠
전 연이 자필 편지를 이별 선물로 주었던 같은 반 브라질 학생들
로 바글거렸다. 그들이 그 자리에 있어 주는 것만으로도 그에게
힘이 되었지만, 야스민이 보이지 않았다. 그녀의 친구들은 야스
민을 요즘 잘 보지 못했다고 말했고, 그날은 아침에 아파서 결석
한다고 그녀로부터 학교로 전화가 왔다고 했다. 연은 야스민의
성경을 그녀의 친구에게 건네며 그녀에게 전해달라고 부탁했다.
"연, 지금 떠나려는 건 아니지? 그런 거야?" 그들은 연이 곧 떠
날 줄 예감이라도 한 듯 못내 아쉬워했다. 연은 희미한 미소를

띤 채 그저 묵묵히 고개를 끄덕이며 작별을 대신했다.

아일랜드에서의 마지막 날, 늘 연을 신경 써 줬던 친절한 폭스는 그를 버스 정거장까지 데려다주고 싶다고 했으나, 연은 호의만 고맙게 받겠다며 태워 주겠다는 도움을 거절했다. 헤어지는 날 꼭두새벽부터 그를 번거롭게 하고 싶지 않았기 때문이다. 이곳에 처음 도착했을 때보다는 반 이상 짐이 줄었지만, 여전히 거대한 "이민 가방"이다. 그걸 끌고 버스 정류장까지 가기엔 꽤 먼 편이었는데 운이 좋게도 그곳은 내리막길에 있었다. 연이 도착하자마자 공항버스가 멀리서 오고 있다. 그 모습이 마치 황천(黃泉)을 건너는 ^cxi^단정(短艇) 같았다. 모두가 시기(猜忌)・질투할 정도로 천재인 연은 한낱 수단인 돈 때문에 반강제로 고국으로 돌아가야 하는 현실에 절규했고, 그의 내면 가장 깊숙이 단호한 결의를 만들어 냈다, "자본주의가 나에게 지옥으로 가라는 선고를 내리다니! 좋아, 꺼져 주지. 하지만 다음번에 내가 지옥으로부터 다시 돌아올 때는 언제 어디서나 자유롭게 지역에 얽매이지 않는 천직으로 무장하고 올 테다!"

〈미국 흑인 음악가〉

연은 공항에 도착하자마자 저울부터 찾기 시작했다.

"저울이 어딨죠?" – "저쪽에 있네요." 그가 짐을 저울에 올려놓고 무게를 재자, 소화물 중량 제한에서 약 5킬로그램을 초과하였다. 이를 확인한 연은 예전의 악몽이 되살아나 추가 요금이 염려

되었다. 그래서 그는 알파카(alpaca) 외투와 ^{cxcii}"새털 웃옷"을 포함한 소지품을 "이민 가방"에서 빼내기 시작했다. 연이 짐을 소화물 중량 한계까지 줄이는 과정을 처음부터 지켜본 남성 항공사 직원이 보다 못해 그에게 충고했다, "선생님! 집에 빈손으로 돌아가시려고 합니까? 우리 독일 루프트한자(Lufthansa)는 복싱(boxing)으로 비유하자면 조그만 아일랜드 라이언에어와는 체급 자체가 다릅니다. 우리는 그렇게 중량 제한에 엄격하지 않아서 아까 그 정도 초과면 충분히 통과되는데요." – "뭐라고요?!"

연이 프랑크푸르트로 가는 소형 항공기에 탑승했을 때, 좌석 위 개방형 수납장 밖으로 삐져나와 있는 배낭에 "난 당신 거예요(I'm yours)."란 글씨가 적힌 꼬리표가 눈에 띈다.

프랑크푸르트 공항에서, 머리칼을 여러 갈래로 꼬고 그걸 또 크게 세 가닥으로 땋아 붙인 ^{cxciii}"드레드록스(dreadlocks)"를 한 흑인 무리가 연의 동포가 바글거리는 대합실 뒤편에서 슬그머니 연에게 접근해, 앞에 빈 좌석이 남아도는데도 그의 옆에 앉았다. 그 낯선 사람들은 연에게 말을 걸고 싶어 하는 눈치여서 그들이 대화를 시작하게 되기까지는 오래 걸리지 않았다. 물론 진지한 대화라기보다는 잡담이었지만. 연은 마치 사람이 변한 듯 영국, 아일랜드식 영어에서 미국식으로 억양까지 완벽히 바꿔서 대화하는데, 원어민이 서로 대화한다고 해도 믿을 정도로 빠르고 막힘이 없어 대기실에 있는 그 누구도 말하는 데 옆에서 끼어들지 못했다.

"여, 형씨. 난 연. 보아하니 나랑 대화하고 싶어 하는 눈치인데?" – "요(yo), 동생, 우리는 너희 나라로 가는 비행기로 갈아타려고 여기 프랑크푸르트에 도중하차했어. 난 마이클이고 내 목을 두른 이쪽 ^{cxciv}'폭신녀(beaver)'는 보조 합창 보컬(chorine)인, 올리비아(Olivia)라고 해. 올리비아, 부탁인데 우리한테 마실 것 좀 가져다줘!" 올리비아라 불리는 그녀는 연과 짧게 눈으로 인사를 나누고 곧바로 근처 매점에 음료수를 사러 자리를 떴다.

"난 그냥 동생에게 인사하고 싶었을 뿐이야. 여행은 어땠나, 형제여?" – "무탈하게 잘 다녀왔지!" "그런데 뭔가 불안해 보이는 걸?" 마이클은 마치 오랜 친구를 대하듯 그의 기분까지 신경 써 주었다. 그러자 연은 허물없이 그의 이야기를 하였고, 그들은 흥미롭게 귀 기울여 들었다.

"그래서 그 허름한 여인숙에 같이 사는 '뿔난드' 친구가, 그러니까 네 폴란드 ^{cxcv}'말똥머리(buzzard)'가 동생에게 꽤 도움이 되었단 말이네. 그래도 연, 넌 그곳에서 살 수 없었고, 맞아?" – "결국 헛되이 끝났지."

연이 그의 동포 ^{cxcvi}밀정(密偵)에 관해 이야기하니 그들은 놀라 소리쳤다, "뭐라고?! 그런데도 넌 알면서 분풀이는커녕 그 똘마니들과 정상적인 관계를 유지해 왔다고? 얼간이냐?" – "분노를 표출하긴 했지. 하지만 아무 의미가 없었어."

연이 이야기를 마쳤을 때, 마이클 일행은 결과에 대해 아쉬움을 표했다, "저런, 망할! 그래서 끝까지 버티지 못하고 본국으로 돌아가는구나! 밑천이 드러나고 허기를 때울 몇 푼이 없어 부랑인처럼 길거리에서 손 벌리며 구걸하고 싶진 않았겠지, 맞아? 하지만 그 상황에서 어떻게 해서든 변통할 근성은 있지 않나?" – "말이 쉽지, 불가능해! 설령(設令) 그래도 마찬가지야. 네 말대로 구걸이나 야바위조차 나에게는 괜찮아. 하지만 어느 날 갑자기 추방당하겠지. 요점은 내가 세상 물정에 밝냐가 아니야. 정치에서 '분열 쟁점(cxcviiwedge issue)'일 정도로 단골 메뉴지만, 사실상 과거에 반해 오늘날 제대로 살려면 불법 이민은 거의 불가능해. 심지어 아메리카 인디언(American Indian)에게 귀속되는, 주인 없는 미국 땅에서도 말이지. 난 할 만큼 하고도 더 했어." "그런데 내가 이해 못 하는 부분이 좀 있어. 지금 너의 영어는 완벽한데, 왜 계속 귀 기울여 듣기 훈련을 해?" – "로봇 발음을 듣는 일에 신물이 났어. 그리고 난 여전히 너희 원어민을 따라잡을 수가 없어." "자 들어 봐, 동생. 우리 미국인은 영국인이 하는 말을 정확히 받아쓰지 못해. 더구나 우리는 주마다 다른 악센트와 방언 때문에 지금 우리 미국식 영어조차도 완벽히 알아들을 수가 없어." – "바로 그거라고! 난 전 세계의 다양한 영어를 100% 정확히 듣고 싶어." "여, 여, 친구, 네 능력이 과대망상증(誇大妄想症) 환자가 아님을 입증해 주었지만 넌 좀 과하게 훈련하는 듯 보여. 그렇게 되면 곧 스스로 나자빠진다고. 내 생각에 넌 듣기의 정점을 추구하는 아마추어 음악가에 가까워 보여." – "그렇지만 난 그 정도로 만족할 수 없다고!" "엄청난 고집쟁이네! 어찌 되었든, 네 능력은 원어민인 나도 놀랄 만큼 현시대에 독보적이야. 그걸 되새기니 새삼스레 내가 미국인으로 태어난 게 운이 좋았다고 느껴.”

그리고 그들은 커피를 마시느라 잠깐 대화를 멈췄다. 대화가 재개되었을 때 마이클은 연을 보며 능글맞은 미소를 지었다, “연, 너도 언젠가 네가 보살필 아이를 갖겠지?” – “꽥꽥거리는 마누라도? 하하, 아마 그럴지도. 인간은 장래(將來)에 관해 쥐뿔도 모르기 때문이지. 게다가 내 ^{cxcviii}‘타임캡슐(time capsule)’만 믿을 수도 없고. 보는 바와 같이, 난 북미 원주민인 알곤킨(Algonquin)-족(族)을 닮은 동양인일 뿐이야. 난 ‘아시아인’이란 말 대신 ‘동양인’이란 단어가 자랑스러워. 나에게 태양이 떠오르는 동양이란 개발 도상 중인 준군사적 아시아 국가 시스템에 예속(隷屬)되지 않아 보이거든. 언젠가 난 나의 허름한 ‘개량용 주택(fixer-upper)’에서 나가 전 세계에서 살 테야. 매우 지루한 우리 나라는 내가 날개를 펼치기엔 너무 좁아.”

“너 무모할 정도로 대담무쌍하면서도 아주 건전하구나!” – “고마워.” “이봐, 이건 확실한 정보야. 네가 맞아. 넌 해외에서도 네 동포들에게 감시당하고 있었어.” – “지금 무슨 말을 하고 있어, 마이클! 멀쩡하게 생겨서는.” “아까 난 네 얘기를 듣고 뭔가 좀 꺼림칙한 느낌이 들었거든. 실은, 난 래퍼(rapper)인데 위키리크스를 위해 염탐 중이야, 정의를 위해서. 조금 전 커피 마실 때 네 수상한 동포에 관한 정보를 입수했지. 지금은 네 여행의 막바지가 아니야. 네게 참고삼아 말하는데, 네 본국에서 조심해야 해. 소란스럽고 난폭한 용역 양아치들은 자기보다 똑똑하다고 해서 봐주진 않아. 자신과 관련된 돈이 없으면 큰 해를 가하고도 남으니까. 노동 쟁의를 막으려 고용되는 폭력 단원과 같은 하이에나라고 보면 돼. 네 동족은 전 세계에 관심이 있고 친절해 보이지만 정작 공통된 기반이 없어. 겉과 속이 다르니 전 세계의 사람들과 마음이 맞질 않지. 그러나 네가 원어민보다 더 영어를 잘해도 미합중국은 너희 ^{cxcix}'귀멀간이(doofus)'편일걸? 그들의 눈에 넌 그냥 자기 자랑만 하는 가난한 떠버리거든. 전 세계의 ^{cc}정견(政見)으로 봤을 때 네 터무니없는 능력은 매우 별나지만 얼뜨기가 지배하는 네 나라에서 넌 오도 가도 못하는 하찮은 무명인(無名人)일 뿐이야. 낮은 지능의 생물이 높은 지능의 생명체를 가지고 놀다가 볼일이 끝나면 갈가리 찢어 버린다고 표현하면 충분할까. 결딴내는 거지." 마이클은 다 마신 종이잔을 손으로 우그러뜨려서 공처럼 만들어 쓰레기통에 정확히 던져 넣었다. "여하간(如何間), 음악인치고는 마이클 넌 매우 박학다식해." – "가사가 가시 돋치게 되면 랩(rap) 음악이 때로는 록보다 강렬해지잖아. 오! 말이 요점에서 벗어나 옆길로 샜네! 그러니까 네 나라에서 그 시련의 고비를 넘길 수 있으면, 내 말은, 그때까지 살아있기만 하면 넌 자유가 돼." 그들은 생각이 비슷했는지 서로 눈을 마주치며 빙긋 웃었다, "자, 그러면..." 그들이 동시에 같은 말을 하자, 똑같이 소리쳤다, "^{cci}찌찌뽕(jinx)!" "난 여전히 네가 우리 나라 출신이 아니라는 현실을 믿을 수가 없어!” 마이클은 연을 가볍게 한 손으로 포옹(抱擁)하며 덧붙여 말했다, “갈 시간이야, 형제여. 너랑 이런저런 이야기를 해서 매우 기뻐. 악수하자,” 마이클이 웃으며 손을 내밀었고, 그들은 손을 힘차게 쥐고 악수했다. “기대한 만큼 솜씨를 보여 보라고, 동생! 그럼, 다음에 또. 안녕! 다음번엔 미국에서 볼 수 있길 기대할게.”

(안녕, 자유여!)

연은 고국으로 가는 비행기 안에서 한 설문지에 망설임 없이 무언가를 휘갈겨 써 내려가고 있다. 정부에 일일이 보고할 필요도 없고 거짓말을 할 수도 있었지만, 그는 설문지 질문에 정직하게 답했다; “얼마나 많은 나라를 여행했나? 거기서 무엇을 했나?” 열심히 설문지를 작성하면서 그는 막후(幕後)의 누군가 스파이(spy) 활동을 하는 양 은밀히 그를 염탐함을 느꼈다.

어찌 되었든 연은 전 세계에 전염병처럼 만연한 자본주의의 잔혹성에 대한 만족스러운 답 없이 본국에 귀환했다. 그 결과 여전히 그 체제의 정체를 폭로할 수 없었다. 그래도 그는 수박 겉만 핥은 채로 포기하기는 싫었다. 인간이 겨우 수십 년 살다가 가는 동안 그 시스템은 세계 곳곳에 편재(遍在)해 끝없이 지속되어 왔고, 정치, 종교, 문화와 무관하게 오랜 세월이 흘러도 스스로 붕괴(崩壞)하지 않았다.

유럽을 떠나는 비행기와 더불어 한 줄기 희망의 빛이 스러져 버렸다. 귀국하는 항공기 안에서 안전띠를 단단히 조이던 연은 집에 돌아간다는 근심에 사로잡혀 감옥의 나라에서 어떻게 살아가야 할지 초조해졌다. 정치에 미친 사람들은 적의를 극단화해 쉽게 지배하려 한다. 그는 단순히 자본주의를 흉내 내는 허울 좋은 혹성의 땅에서 신뢰할 만할 아버지 같은 존재가 될 자신이 없었다. 무엇보다도 연은 이미 그들만의 리그(league)에서 벗어난 지 오래였고, 결정적으로, 엠마가 필요했다.

<상잔>

나의 사람 원숭이와 같소

야호 와하 와 후

원수는 외나무다리에서

원숭은 나무다리에서

원수는 끔찍하지만

우리는 그렇지 않소

아직 발이 묶이지 않아, 채울 수 없는 자유에 대한 욕구가 넘치도록 분방(奔放)한 연은 지정학적으로 유리한 위치를 점유한 흉내쟁이 일족의 나라로 돌아가고 있다. 그러나 머나먼 이국땅은 마음속에서 이미 그의 고향이 되었다. "우리 나라에 뼈를 묻을 생각은 추호(秋毫)도 없다!"

한편, 비행 중 흡연을 못 하자, 연은 안달이 나 화장실에서 담배를 피울 생각까지 하며 들어왔다 나갔다 하였지만, 결국 단념했다. 그의 후각 신경은 담배를 피우지 않는 동안 극도로 예민해져서, 1인용 수세식 화장실에서 누군가 한참 전에 몰래 담배를 피운 흔적인 극미량의 담배 연기 입자조차 느낄 수 있었다. 연은 순간 역해 구역질이 나올 뻔했다.

그는 대해(大海)로 나가기 위해 그의 국적을 포기하려고 작정했다. 하지만 연 자신도 몰랐다. 그가 고국으로 돌아오기 전에 이미 어느 국적이든 선택할 수 있고 어느 나라에서도 생활할 수 있게 만드는 직업을 가졌다는 사실을. 그렇다! 백수건달(白手乾達) 연에게 천직이 생겼다. 그것도 전문적이고 선구적(先驅的)인. 돈을 벌지는 못했지만, 훌륭한 외인(外人)들과 교제하면서 그의 천직 완성에 많은 도움을 얻게 되었다. 억누를 수 없는 화염이 그의 심장 깊은 곳에서 빛나며 타오르고 있다. 이제 연의 모교는 7대양이다!

***

제12장 엇갈리는 운명

〈귀환〉

고국의 땅에 발을 디디자마자 연은 곧바로 짐을 찾으러 공항의 소화물 찾는 곳으로 향했다. 도착해 보니 나와야 할 물건이 없었다. 할 수 없이 마지막까지 기다렸지만, 승객이 다 떠날 때까지 연의 짐은 나오지 않았다. 분실 보상 요청을 해야 하나라는 불안함이 들 찰나 맨 마지막에 그의 짐이 나왔다.

"가방을 열어 봤네, 쳇!" 그러다 문득 담뱃재가 묻은 빈 담뱃갑이 생각났다, "아, 마리화나랑 섞어서 피웠는데 혹시 마리화나 잔향을 세관 마약 탐지견이 맡았나?"

어쨌거나 연은 길고 위험했던 여정에서 탈없이 귀환했다. 그의 나라는 여전히 모든 면에서 개선된 점이 하나도 없었고 앞뒤 안

가리고 밀고 나가는 방법을 써서 겉모습만 번지르르하게 외국식으로 바꾸어 놓았다. 그리고 국민은 왜 자신들이 문화적으로 열강(列強)을 따라가려고 하는지 몰랐다. 이성적으로는 도리어 퇴화하면서도. 연은 모국에 돌아와 듣기 능력을 완성하려 자신의 길에 정진했고 죄다 먹어 치울 듯한 작열(灼熱)의 의지로 영어를 게걸스럽게 흡수했다. 단순히 양적으로 노력하기보다는 매우 세심하고 정확해야 했고, 그렇게 계속 훈련하면서 조금씩 그만의 특기가 되었다. 또한 평소에 고상하게 소량의 음식 맛보기를 즐겼던 미식가 연은 해외를 다녀온 후, 마치 다식증(多食症) 환자처럼 항시 걸신(乞神)—들린 듯 음식을 먹어 대는 버릇이 들었다. 오랫동안 굶주림을 겪었기 때문으로 보인다. 그는 스스로 이 탐식증(貪食症)을 "늑대의 굶주림"이라고 별칭을 붙였다. 이로 인해 체중이 늘었는데도 연은 자기 일이 고도의 지적 에너지를 요구하므로 이를 즉시 불굴의 사그라지지 않는 뇌 에너지로 바꾸어야 괜찮다는 망상을 하며 잘못된 식습관을 고치려 하지 않았다. 그래도 그는 고국을 떠날 때를 대비해 빚지지 않고 살아갔다. 빚을 진 채 살아감은 양발에 족쇄를 채우는 꼴과 같다. 그런데 그의 삶이 언제부터인가 그의 이상처럼 현실과 괴리가 되었고 유일한 위안은, 삶의 모든 측면에서 보았을 때 그나마 되돌릴 수 없는 상황까지 가 버리진 않았다는 점이다.

연은 영화, 드라마, 노래 등 닥치는 대로 세계 각국 영어 토박이들의 말을 받아썼다. 이는 또박또박 발음하는 뉴스 수준이 아닌 이상 비영어권에서 자란 성인이 해 봤자 소용없는 일이다. 그러나 연은 정확히 진실을 알고 있었다. 미국, 영국, 캐나다, 호주, 뉴질랜드, 아일랜드 사람처럼 가장하며 발음을 흉내 내는 행위는 쓸데없는 짓이라는 걸. 물론 어느 정도 듣기 능력을 갖춘 상태에서 표준 억양과 방언을 동시에 구사할 수 있다면 좋은 일이다. 하지만 듣기의 완성 없이 완전한 이해는 존재하지 않는다. 더군다나 연은 학문적 진실의 모든 측면을 왜곡하는 거짓말쟁이가 되고 싶지 않았다. 그래서 그는 문자 그대로 완벽할 정도로 순수 듣기와 예측 듣기를 병행했고, 혹독하게 듣기 연습을 할수록 그 능력의 정점에 가까워졌다. 반면에 딱히 수입이 없던 연은 극도로 가난해진 데다 설상가상으로 온갖 안 좋은 일까지 겹치고 있었다. 그의 불행은 이미 끝자락이 아니었던가? 어떤 비참함이 또 닥친 걸까?

(도둑이 된 연)

연은 인간으로서 결혼해 평범한 삶의 행복을 추구하고 싶은 본능도 억누르고 감정을 삭인 채 하루하루 최고의 지성인으로 진화하고 있었다.

어느 날 저녁 연이 오랜만에 다리도 펼 겸 시내로 나갔다. 도심지 한복판에 내리자마자 그는 담뱃불을 붙였고, 어느 백화점 앞에서 담배꽁초를 길바닥에 던져 버렸다. 그때 그는 경찰 둘이 범죄자를 잡으려 잠복근무하고 있는 현장을 목격했다. 그들과 눈이 마주친 순간 경찰의 얼굴이 노여움으로 시뻘게졌다. 연은 거북해져 자리를 뜨려 했으나 경찰관은 그렇게 놔두지 않았다. 바로 경찰 둘이 그에게 씩씩거리며 다가오는데 마치 이런 말을 하는 듯했다, "네가 감히 내 앞에서 담배꽁초를 던져? 이 불량배 자식이! 네가 나에게 독기를 품어?" 경찰은 연의 신원을 조회했지만 정작 자신들이 어디 소속 누구인지 밝히지 않았다. "난 이미 신원을 밝혔고 이젠 당신 차례입니다." 연이 경찰에게 신원을 밝히지 않는다는 이유로 추궁(追窮)하자 경찰은 연이 그와 시비한다고 여기는 듯했다, "내가 누군지 이미 말했잖아요!" 그 경찰은 뻔뻔하게 바로 연의 눈앞에서, 하지도 않은 일에 대해 새빨간 거짓말을 하였고, 이에 연이 격앙(激昂)에 휩싸여 반항하는 눈초리로 그들을 쏘아보았다. 그런데 적법 절차를 지키지 않은 경찰 둘은 그들에게 사과를 요구하는 연을 강제로 연행(連行)하려고 하였다. 연은 그 거짓말쟁이들의 면상을 주먹으로 한 방 먹이고 싶었지만 그러면 결과는 빤했다. '그렇게 나온다면, 너희들은 그 거짓말에 상응하는 벌을 받아야 하겠지. 나 뛴다!'

들기 훈련에 모든 정력을 쏟아부어 새벽부터 밤늦게까지 무리를 한 그는 기력이 쇠한 상태였고, 그 사실을 자신도 잘 알고 있었다. 그래도 그들의 잘못에 대한 대가를 치르게 하려고 그는 도망쳤다. 정확히 표현하자면 몰래 빠져나가지 않고 미친 듯이 달렸다. 사정이 달랐다면 무시할 만한 사건이었다. 그 생각지 못한 일이 벌어지기 전까지는.

경찰은 당황할 겨를도 없이 곧 자석처럼 그를 뒤쫓았다.

추격 도중에 그 거짓말쟁이 경찰이 악에 받쳐 고래고래 소리를 질렀다, "비켜요! 저 도둑놈 멈춰라! 도둑놈 잡아라!" 그때 한 여성이 우측에서 튀어나와 도둑으로 몰려 경찰로부터 도주 중인 연의 오른쪽 갈비뼈를 우산으로 정확히 찔렀고 그 자리에서 바로 늑골(肋骨)이 부서졌다. 대중 앞에서 비난-받는 수준은 이미 넘어섰다! 그것은 생명이 위험할 정도로 치명적 강타였다. 아아! 참! 연은 장차 온전한 정신으로 괜찮을까? 푹 수그려 주저앉은 그가 무슨 말을 할지 일그러진 표정에 다 쓰여 있었다, '너희 ^ccii"원숭치(bagoon)"들은 모두 이 어리석은 행동에 대한 대가를 치러야 할 거다!' 격통으로 웅크린 채, 연은 경찰에 의해 체포, 연행되었다. 경찰서 구금 중에도 그 거짓말쟁이 경찰이 도주자의 신상 조회와 체포에 관한 문서 작성을 끝낼 때까지 그는 수갑이 채워져 있었다. 연이 왼쪽 손목에 너무 세게 수갑이 채워져 고통스러우니 좀 느슨하게 해 달라고 간청했지만, 경찰은 자기 직감이 옳다는 듯이 그를 무슨 중범죄자인 양 취급하며 들은 척도 하지 않았다. 경찰이 서류에 사인(sign)하라고 연을 풀어준 시기는 그로부터 오랜 시간이 지난 후였다. 연이 문서 내용을 들여다보았을 땐 가석방(假釋放)처럼 "…법 모(某) 조항에 의거 동의합니다."라는 문구만 눈에 띄었다. 사건 보고서 내용의 진실성이 의심되었고 매우 안 좋은 예감이 들었다. 연은 그 교활한 경찰이 죄를 날조(捏造)한다고 여겨서 문서에 서명을 기부하였고 경찰은 법원에 즉결 심판을 청구했다. 그는 경찰서로부터 걸어 나와, 공공연히 대중 앞에서 도둑으로 취급하며 자신의 명예를 훼손한 경찰을 분노에 찬 눈빛으로 쳐다보았다, "참 잘도 법을 준수하는군! 날 조롱거리(嘲弄−)로 만든 데 대해 지금 나에게 사과하지 않으면 당신에게 재앙(災殃)이 있을지니! 날 잡아넣은 처분은 합법이야. 일단 도주했으니까 말이지. 그러나 당신은 공공연히 날 창피(猖披)를 주고 웃음거리로 만들었어. 내가 절도(竊盜)를 저질렀다고 생각해 소리친 합당한 이유를 설명하지 않으면 나를 고의로 절도범으로 체포한 데 대해 당신에게 형사상 책임을 묻겠다." – "흥, 객쩍은 소리 집어치우쇼! 삽질해 볼 테면 해 보던가! 난 제복을 입은 사법 경찰관이고 당신은 그저 도둑 용의자에 지나지 않아. 당신과 나 중 과연 누구의 말을 이 나라 사람들은 믿을까?"

연이 귀국하자 일이 이상하게 꼬여 돌아갔다.

도둑으로 몰려 가슴에 사무친 정신적 아픔과 골절의 물리적 고통은 누그러들지 않았다. 병원에 갔지만 늑골의 통증은 진정되긴커녕 더 커져만 갔다. 그로부터 이틀 뒤 크리스마스−이브(Christmas Eve)에 연은 격통으로 몸부림치기 시작했다. 너무 강렬해 실신할 정도였지만 끝까지 정신을 가다듬고 버텼다. 태어나서 가장 고통스러운 크리스마스였다, "참으로 크리스마스답구나! 크리스마스이브에서 크리스마스로 가는 자정에 성탄극 대신 수난극인가? 이 무슨 박해(迫害)인가? 속죄(贖罪)를 재연하나?

난 예수가 아니라고! 너희들은 그릇된 행위에 대한 대가를 치러야 해, 이 ^{cciii}타기(唾棄)할 짐승들아!" 그렇다. 크리스마스 아버지라 불리는 산타클로스(Santa Claus)는 그의 인생에서 가장 괴로운 크리스마스 선물을 안겨 주었다. 그에게 보상은커녕 사과조차 없었다. 더 나아가 연은 경범죄로 법정에 서게 되었다. 그는 소송을 즐기는 편이 아니었으나 그 경찰관을 진술서와 함께 명예훼손죄로 고소하였다. 하지만 따라쟁이가 지배하는 나라의 결과는 뻔히 예측할 수 있었다. 연의 소송은 사실 적시(摘示)로서 눈에 보이는 증거와 진술이 명명백백함에도 기각(棄却)되었다. 더군다나 그는 법정에 설 기회조차 없었다. 그렇게 그 긴 해의 투쟁은 쓸모없게 되었다. 사실 그가 소송에서 진 이유는 간단했다. 경찰은 제복을 입고 있었고 연이 잘못했기 때문이다. 단순히 도망가는 행위가 경찰의 명예 훼손을 정당화할 수 있는가? 그 둘은 별개고, 서로 무관하다. 적어도 그들은 법의 집행자로서, 시민들 앞에서만큼은 법을 지켜야 하지 않는가? 이 나라의 판사가 ^{cciv}"노르웨이 대학살" 현장에 있었다면 절대로 그런 판결을 하지 못한다. 더 이상 어떻게 달리 그가 그 상황을 더욱 자세하게 설명하겠는가?

한술 더 떠 그들은 자신들의 더러운 계획을 정당화하여 맞고소까지 제기했다. 그리고 버스 내 감시 카메라 녹화본에 이동 시간과 경로가 드러나 아무 짓도 하지 않았음이 입증된다며 자기의 결백함과 경찰의 악의를 주장하는 연에게 허물을 덮어씌웠다. 종국(終局)에 법의 심판을 받아 처벌된 자는 즉결 심판까지 가서 ^{ccv}과료(科料)를 낸 연뿐이었다. 둘 다 각각 서로 무관한 다른 법을 위반했고 단 한 사람만 처벌을 받았다. 그 소동의 원인이 결국 연에게 있기 때문에? 다른 사람과 다르게 행동했다는 이유만으로 아무 이유 없이 단순히 도둑으로 취급해 대중 앞에서 공개 망신을 줄 수 있는 건가? 법을 집행하는 경찰이 규정을 무시하고 제멋대로 단죄(斷罪)하나?

명백히 기만적(欺瞞的)인 경찰에 의해 계산된 공개 모욕이자 간계(奸計)였으며 소송을 왜곡된 방향으로 틀었다. 추격하던 경찰의 입에서 무의식적으로 말이 헛나왔다고 했다면 덜 억울했을 터이다. 도무지 말이 안 돼 그의 머리는 혼탁해지기 시작했고 엎친 데 덮친 격으로 ^{ccvi}광장 공포증(agoraphobia)으로 몇 달간 고생했다. 이게 따라쟁이 계급이 지배하는 국가를 위해 병역의 의무를 다한 대가인가? 모욕 감수가 소집되어 목숨을 건 인간에 대한 보상인가? 지금까지 당한 일을 곱씹으면서 그는 자신이 살고 있는 세상이 기본적으로 언론과 괴리가 있다는 진실을 깨닫게 되었다. 일반 국민이 하는 소송은 무능한 따라쟁이 나라에서는 아무 쓸모가 없었다.

연의 오랜 부재중 그의 나라에는 외관상 괄목상대(刮目相對)할 만한 변화가 있었다. 하지만 내부, 특히 그들의 지성은 아니었다.

가슴이 찢어질 듯한 고통의 시간을 보내며, 동양인인 그는 자신도 모르는 사이에 자기 나라에서조차 이방인이 되었다. 동양에서 태어났지만, 아시아 사회의 무리에 낄 수 없었고 오히려 유럽이나 아메리카 대륙 사람들과 통했다. 이 무슨 모순인가! 전부 뒤죽박죽이다. 그를 아는 몇몇 사람은 겁쟁이라고 조롱했고, 그를 모르는 대다수 사람은 그가 진짜 도둑이라고 여기며 심지어 헐뜯기까지 했다, "도대체 뭐가 씌어 그런 짓을 했니?!" ccvii "'따람들(ape-ople)"이란...' 연은 그가 왜 진실이 거짓이 되고 거짓이 진실이 되는 ccviii 보드빌(vaudeville) 안에서 살아야 하는지 몰랐다. 그는 오른쪽 늑골을 희생하여 그 일부를 단순히 확인했을 뿐이다.

그 사건 이후 연은 두문불출(杜門不出)하며 모든 쾌락을 멀리하고 자제했다. 짐승이 동면하듯 아무것도 하지 않는 듯 보였으나 실상은 그렇지 않았다. 연은 은둔 생활 중이었다. 움직이지 않고 앉아만 있어 생긴 갖가지 잔병에도 아랑곳하지 않으며 자기 능력의 최대치 완성에 전념했고, 일체의 감정을 배제한 지성체가 되어 삶과 우주의 근본에 대해 철학적으로 사색하기 시작했다. 그로부터 약 3년 후 그는 모든 학문에서 독보적으로 진화하였다. 그렇게 집에 틀어박혔지만, 연은 바깥세상에 대비해 날카로운 기민(機敏)함은 유지했다. 물론 딱히 자신의 소유라 부를 재산도 일도 없었다. 자신의 특기인 언어 분야에 열중하면서도 그는 모든 분야에 있어 혁신적인 기점(起點)이 될 수 있는 리만 가설(Riemann hypothesis)의 해법까지 발견하게 되었다. 복잡하고 분기된 회로망을 단순화할 수 있는 컴퓨터 프로그램의 시발점이 되는 점을 제외하고도 그것은 모든 계산법에 있어 자궁(子宮)의 역할을 하였다. 그렇지만 클레이 수학 협회(Clay Mathematics Institute)는 저명한 협회의 논문으로 등록되지 않았다는 등 자신들이 정한 방식의 풀이가 아니라는 등 사소한 트집을 잡아 그의 공로를 인정하지 않았다. 해외에서 살 준비를 하는데 연은 엉뚱하게 자신이 되고 싶지 않은 학자가 되어 가고 있었다.

어떻게 이런 백미인 그가 매번 안 좋게 끝날 수 있을까? 그런 대우를 받을 만한가?

[ccix]낙척(落拓) 인생!

그는 이 이야기를 책으로 쓰기로 결심했다. 시간은 쏜살같이 흘러갔고 어느덧 5년이 지나 그의 처녀작이 출판되어 세상의 빛을 보게 된다.

끔찍한 시간을 겪으면서도 한편으로 연은 스웨덴 온라인 웹사이트(website)에 가입해 끊임없이 엽색(獵色)하는데, 정작 결혼할 마음은 없어 보였다. 그는 그곳에 놔두고 온 진정한 사랑을 잊기 위해 다른 스웨덴 여성의 아름다움에 사로잡힌 척했다. 그러나 그의 마음은 천한 취미에 영합(迎合)하지 않았다. 그곳 여성의 마음을 가지고 놀수록, 그의 마음은 더 공허해지고 황폐해졌다. 사진이라도 찍어둘걸! 차라리 휴대 전화에 그녀의 사진이라도 있는 편이 나아 보였다. 그러던 어느 크리스마스 때 한 소녀가 웹사이트에 등록했고, 그의 눈길을 사로잡은 건 순전히 운이었다. 아! 이럴 수가!!! 연의 가슴은 미친 듯이 뛰기 시작했다.

다름 아닌 스웨덴에서 만났던 광휘(光輝)로운 미소를 지닌, 꿈에서라도 절대 잊을 수 없던 바로 그 소녀였다! 그는 잘못 본 건가 싶어 눈을 다시 비비고 보았지만 틀림없는 그녀다. "그대는 그때 정말 아찔할 정도의 아름다움 그 자체였지! 이 몸이 스러지더라도 여전히 당신을 사랑한다오!"

앞으로, 깊은 운명의 바닷속에 감춰진 어떤 사건이 이 불가사의한 일들을 겪는 불운의 연인을 기다리고 있을까? 그들은 과연 어떻게 서로의 관계를 유지해 나가려는가. 성스러운 혼인으로 결합할 수 있을까? 아니면 다른 이와 새로운 관계로 진전될까? 유럽의 오딘과 아시아 흑해의 주인만이 그들의 운명을 알 터이다.

엠마는 생기발랄한 소녀에서 어느덧 기품 있는 숙녀가 되어 있었고 웹사이트-상이지만 그 기운이 고스란히 연에게 전달되었다. 인터넷으로 꽃을 보내는 일은 시대에 뒤떨어진 행위의 일종으로 볼 수 있으나 연은 순진하게도 그녀에게 매일 한 다발의 디지털 장미를 천 송이가 될 때까지 보냈다. 하루가 멀다 하고 그는 그녀의 사진을 보았고 가슴속 깊은 곳의 형언할 수 없는 감정이 사뭇 북받쳐 오열(嗚咽)했다. 그의 뺨을 타고 비처럼 흐르는 눈물은 멈출 줄 몰랐으며, 한번 깨어나 폭포수처럼 쏟아져 나오는 감정은 주체할 수가 없었다. 그러나 연은 얄궂은 운명을 한탄할 수만은 없었다. 어떠한 방식으로든 그녀와의 재회는 그의 억눌린 감정을 단번(單番)에 일깨워 삶을 느끼게 해 주었기 때문이다. "글쎄, 문제없어. 단지 마음이 아플 뿐이야. 눈물은 그냥 지나가는 사람이 눈에 밟혀서 잠시 흐를 뿐이야." 누가 시간이 약이라고 했던가? 시간이 흘러갈수록, 연의 상사병(相思病)은 더욱더 심해져 그녀를 미치도록 그리워했다. 그가 그녀를 처음 만났을 당시 그녀는 젊음으로 생기있게 빛났고, 현재는 성숙하여 품위가 있으면서도 매혹적인 여성스러움이 스며 나오고 있었다. "당신은 여전히 숨이 멎을 정도로 아름답구려. 내가 당신을 처음 보았을 때 당신은 막 피어나는 꽃이었는데. 내가 당신이란 꽃을 질 무렵 본다고 해도 여전히 사랑할 수 있겠느냐는 생각을 잠깐이라도 한 게 부끄럽구려. 오히려 그때 내 외모가 흐물흐물 오징어처럼 될까 걱정이오." 그녀를 열렬히 사랑했기에 덤덤히 말하는 태도가 오히려 비참해 보였다.

현재까지 이어온 그들의 사랑은 단순한 농탕질이 아님은 분명했다. 그들은 서로 사랑했지만, 여전히 짝사랑처럼 묵묵부답이었다. 이유는 간단했다. 그들이 웹사이트 "MP"의 유료 회원이 되지 않았기 때문이다. 어느 날, 그녀는 자신의 소개란에 다음과 같이 적었다; "인터넷이 무슨 소용이죠?" 순간 그 말이 연의 뇌리를 관통했다. 몇 년 전 그들이 스웨덴에서 처음 만났을 때부터 연은 그녀에게 자석처럼 이끌렸고 그녀도 마찬가지였다. 그들은 꼬투리 안의 두 콩알처럼 찰떡근원이었다. 엠마는 그릇이 큰 여성으로, 솔직하면서도 젠체하지 않았고, 그녀의 현명한 마음가짐은 연의 마음을 송두리째 뒤흔들었다. 그녀가 말한 대로 실행하기 위해 그 웹사이트에서 탈퇴하려 했지만, 그녀를 만날 수 없다는 생각에 막상 손이 가질 않았다. 연은 "MP" 사이트 프로필(profile)에, 사이트에 대해 경멸(輕蔑)하는 글을 쓰며 화를 표출했고, 공교롭게 우연의 일치인지 항변할 기회도 없이 바로 강제 탈퇴가 되었다. 결국 운명의 장난이었던가! 하지만 연은 자포자기(自暴自棄)의 심경으로 아무 여성과 결혼할 정도로 어리석지는 않았다. "그녀와 이렇게 끝낼 수 없어!" 그가 그녀를 사랑하는 이유는 강렬한 성적 호르몬(hormone)에 의해서도, 호기심 때문도 아니었다. 이후 연은 부러진 늑골의 가골(假骨)이 몸 전체를 뒤덮은 듯 주변에 무감각해졌다. 저런, 저런! 슬픔의 바다에서 눈물과 술로 마비되었구나!

세상에는 실패 방지 장치 하나 없었다. 연의 원대한 계획은 그동안 다듬어 온 지식의 방대(厖大)한 체계와 심오한 지혜(智慧)에도 수포(水泡)가 되었고, 그의 나라에서 벗어나려고 노력할수록 그 환경에 좌지우지되어 더욱 비참하게 되었다. 그래도 그가 사회 밑바닥 쓰레기로 살아가는 이유 중 하나는 다시 한번 그녀에게 닿을 수 있다고 믿기 때문이다. 그에게 그녀 없는 삶은 의미가 없었다. 그렇다고 내쫓기듯 한 푼도 없이 나가진 않았다. 연은 이미 경험한 일을 반복할 바보가 아니었다. 그래서 그는 소설가가 되기로 마음먹었다. 실제로 연은 세계 최고 수준의 다국어 능통자였지만 그것이 이야기를 꾸며내는 솜씨가 있음을 의미하지 않는다는 사실을 자신도 잘 알고 있었다. 이러한 이유로 연은 자신의 이야기를 쓰려고 한다.

제12장 엇갈리는 운명　　171

현재 상태로 그녀를 만나러 갈 수는 없다. 그들이 그가 별 볼일 없는 아무것도 아닌 존재라고 여긴다면 어떻게든 구실을 만들어 그 나라에서 축출할 게 뻔하기 때문이다. 우리는 ^{ccx} '맘몬(mammon)'이 데몬(demon)이 아니라 마마(mamma)가 되는 잔학(殘虐)한 세상을 살고 있다. 황금만능의 시대에서 돈은 수단이 아닌 인간 계급 제도의 최고 목표가 되었다.

예전이나 지금이나 천재는 홀로 먹고 살 수 없다. 하지만 현재는 가짜 천재가 진짜 천재를 몰아내고 후원을 받아먹고 있다. 그래서 오늘날 인정받는 천재는 천재가 아니다. 그렇다고 그는 인기에 영합하는 소설을 써 돈을 벌기를 원하지도 않았다. 연이 파피루스(papyrus) 고전 문서 한 권 분량을 쓰는 데는 5년의 세월이 걸렸다. 성경처럼 추상적인 비유나 우화가 그의 처녀작이 되는 데 거부감을 느낀 연에게는 자신의 책이 실제 경험을 기반으로, 대중이 미처 경험하지 못했지만 그가 그랬듯이 그들의 인생에도 가치 있는 일부로 자리함이 목표였다. 또한 그의 책으로 인해 사회에 미치는 이익까지 고민하였다. 그래서 그는 자기 소설을, 퍼즐(puzzle)처럼, 읽으면 자연히 언어력이 키워지게끔 설계했다. 하지만 짧게 소비하는 인기 위주의 세상에서 저술업(著述業)에 전적으로 의존하면 생계를 꾸리는 데 위험 부담이 크다. 그래도 그는 그만의 방식으로 사람들을 일깨워 미래에 공헌할 수 있는 아무도 가지 않은 길을 택했다. 단순히 책을 통해서 그들에게 지혜를 전달하는 일이 매우 고달프더라도, 어떤 혹평이 채찍

질하더라도 연에게 문제가 되진 않았다. 드디어 이 악순환의 고리에서 벗어날 수 있다는 희망이 손아귀에 잡히려 한다. 인기를 뒤쫓지도 않지만 그렇다고 사후에 유명해져도 소용없다. 당신의 인생은 겨우 한 번뿐이다. [ccxi] 지금이 중요하다. 오늘을 잡아라. [ccxii]

미주

―――――――――――――

ⁱ '블라니 스톤'을 우리말로 번역한 저자의 조어.

ⁱⁱ 남김없이 모조리 쓸어버림.

ⁱⁱⁱ 밑천을 대어 주는 사람.

^{iv} 재정 사무와 이재(理財)에 능한 사람.

^v 자양분이 많은 음식물.

^{vi} 더블린 스파이어(Spire of Dublin)의 별칭.

^{vii} 곡물식(穀物食).

^{viii} 배고픈 느낌이 있다. 출출하여 무엇을 먹고 싶다.

^{ix} 학생.

^x 맥주 캔(can).

^{xi} 저자의 조어로, 동숙인. 룸메이트.

^{xii} 입술을 둥글게 오므려서 소리내는 모음.

^{xiii} 'saltie'를 지칭하며 '바다-악어'를 뜻함.

^{xiv} 'Aussie'는 구어로 '오스트레일리아 사람'을 뜻하며, 저자는 음을 맞춰 '호주인'을 '호지'로 표현하였다. [저자의 조어.]

^{xv} 'jade' 뜻에 '녹색', '녹초가 되다'란 뜻이 있어 우리말과 음이 맞아 안배한 중의적 표현.

^{xvi} 영어를 비틀어 역으로 차용하는 프랑스인과 일본인이 하는

짓이 유사함을 비꼬아 표현한 조어.

xvii 속어) 프랑스인((개구리를 식용으로 함을 빗댄 표현.))

xviii "Succour For Sucker"는 원작에서 저자의 조어로, 'succour'와 'sucker'의 영어 발음이 동일함을 이용하여 재치 있게 표현함.

xix 청량 음료의 한 가지. 탄산수.

xx 구어인 'Frenchy' 즉 '프랑스 사람'을 번역할 때 저자가 만든 말.

xxi 'shell-shocked'의 우리말 번역. '전쟁 노이로제의'.

xxii 연기가 물을 거쳐서 나오게 만든 담뱃대의 일종.

xxiii 'crew cut'을 우리말로 번역한 조어. 매우 짧은 머리.

xxiv 미용사.

xxv 함부로 사나운 짓을 하는 사람.

xxvi 소리쳐 격려하고 힘을 북돋아 줌.

xxvii 떠나는 이를 위하여, 잔치를 베풀어 작별함.

xxviii 해안이나 만, 큰 호수 따위에서 양안(兩岸)의 육상 교통을 연락하는 선박.

xxix (배의) 맨 위층의 갑판.

xxx 난선을 당한 사람.

xxxi 쇠로 만든 기둥. 대빗(davit).

xxxii 해상의 거리를 나타내는 단위. 위도 1도의 60분의 1로 약 1852 m임.

xxxiii ‘프라하’의 영어식 표기인 ‘Prague’의 영어 발음.

xxxiv ‘gulyás(구야시)’의 체코식 발음.

xxxv “잡자(잡者)”는 영속어인 경찰을 뜻하는 ‘copper(잡는 사람)’의 우리말 번역 조어.

xxxvi 외롭고 쓸쓸함.

xxxvii 두두룩하게 언덕진 곳.

xxxviii 원형 교차로.

xxxix 얇은 종이로 가늘게 말아 놓은 담배.

xl ‘raise Cain’은 영속어로 ‘큰 소동을 일으키다, 골내다’의 뜻으로, 원문에 충실하게 번역하였음.

xli ‘push up daisies’의 어원과 관련된 문장으로, 데이지-꽃이 무덤 위에서 자라고 있음을 넌지시 표현함.

xlii 1990년대 초 영국에서 생긴 조어(造語)로 고급 음식과 술을 마실 수 있는 바(bar)를 뜻한다.

xliii 1야드 길이의 잔이라 ‘yard of ale’이라고 부른다.

xliv 야드-파운드법의 길이의 기본 단위. 1야드는 3피트로, 약 91.44 cm.

xlv 한쪽 어깨에서 반대쪽 겨드랑이에 걸쳐서 매는 띠.

xlvi 깨끗하고 말쑥하다.

xlvii 현재 맞춤법 표기는 템스강이나, 이 책에서는 원어의 발음을 우선해 표기했다.

xlviii 고유명사 '타워 브리지'의 우리말 표현.

xlix 다리의 한끝 또는 양끝이 들리면서 열리게 되는 가동교(可動橋)

l "Pushow", "Poo-show" 둘 다 가능해 중의적 표현이다. 전자는 '다리를 밀어 올리는 쇼'이고 후자는 '응가 쇼'로 해석할 수 있다.

li 펠리컨.

lii the Debatable Lands.

liii Troubles in Northern Ireland.

liv 하늘에 닿을 듯이 높은 건물. 아주 높은 고층 건물.

lv 'Yankee'의 어원인 네덜란드어 "Jan Kees"는 영어로 "John Cheese"란 뜻으로, 양키를 '치즈 가이'라고 어원에 충실하면서도 재치 있게 번역했다. 저자의 조어.

lvi 'narwhal'은 흔히 "외뿔고래" 또는 "일각돌고래" 등으로 번역되어 알려져 있다. 어원에 충실한 저자의 번역 조어.

lvii 귀리죽.

lviii 옥수수를 으깨어 말린 박편(薄片).

lix 스코틀랜드, 아일랜드 음식으로 귀리 가루, 보리 등으로 만든 넓적한 빵.

lx 채소.

lxi 수란을 뜨는 데 쓰이는, 쇠로 만든 주방 기구.

lxii 'bed and breakfast'의 약어로 조반(朝飯)을 낀 1박(泊).

lxiii 못마땅하게 여기는 빛이 얼굴에 드러나 있다.

lxiv 썬 담배.

lxv 벗. 친구.

lxvi 술을 늘 대중없이 많이 먹는 사람을 농조로 이르는 말.

lxvii 영어로 'stoned' 뜻 중 하나가 '(술, 마약에) 취한'임. 원문에 충실한 번역으로 저자의 우리말 조어.

lxviii 아일랜드 경찰관.

lxix 아몬드(almond).

lxx 도붓장수. 이곳−저곳 돌아다니며 물건을 파는 사람.

lxxi 'nickel bag'은 미국 속어로 5달러−어치의 마약을 뜻한다.

lxxii '떼를 지은 무리'를 얕잡아 이르는 말.

lxxiii 중국어로 '벗, 친구'를 뜻한다.

lxxiv '팽우(烹友)'는 '친구를 삶다'는 뜻인데, '붕우(朋友)'와 중국 발음이 거의 같아서 생긴 삽화. 'Péngyǒu(朋友)'를 'Pēngyǒu(烹友)'로 잘못 발음했음.

lxxv 국어의 표준 외래어 표기는 미국식인 '롤리팝'이나 여기서는 상황에 맞게 영국식으로 표기했다.

lxxvi 영국 구어)) 아동 교통-정리원.

lxxvii 경찰복을 입은 '롤리팝 맨(lollipop man)'을 표현한 저자의 조어.

lxxviii '섀그(shag)'의 언어-유희식 번역. 여기서 "색색"은 한자로 "色色"으로, 영어로는 "shag, shag" 또는 "sex, sex"로도 읽을 수 있는 언어-유희적 표현이다.

lxxix 'Lou(루)'는 영국 구어인 'loo(루)'와 동음이의어며, 'john'은 속어로 '변소'를 뜻한다. 영어 천재 로투스의 유머와 언어 감각이 돋보이는 문장.

lxxx 영국(인)을 일컫는 말. 공교롭게 그의 이름도 존이다.

lxxxi 영국의 관점에서 대척지, 즉 지구 정반대편이므로 호주를 뜻한다. The Antipodes.

lxxxii 영국)) 오전 11시경의 간식, 차. "11시차"는 그 번역 조어.

lxxxiii 두꺼운 모직물.

lxxxiv '웨일스 사람'을 의미하는 'Taffy'가 'Davy'에서 유래되었음을 주인공 '연'이 알고 물음.

lxxxv 중세 유럽의 교회에서, 생산량의 10분의 1을 거두던 조세.

[lxxxvi] 난간에 일정한 간격으로 세운 작은 기둥. banister.

[lxxxvii] 폴란드 비속어.

[lxxxviii] (어이가 없어서) 멍함.

[lxxxix] 곱사등인 사람. 꼽추.

[xc] 국내에서는 "내겐 너무 가벼운 그녀"로 제목이 붙여졌던 영화다. 원제는 'Shallow Hal'로 여기서 'shallow'는 '얕은, 천박한, 경박한' 등으로 번역이 되며 'Hal'은 남자 주인공 이름이다.

[xci] 주로 인도-대마.

[xcii] 속어로 아일랜드 사람.

[xciii] 발바닥이 오목하게 들어간 데 없이 밋밋한 발.

[xciv] 원문에서 표현된 'flatfoot'은 '평편족' 이외에도 '순경'이란 뜻이 있어 역설적이면서도 해학적인 표현이다.

[xcv] 속어로 (죄수) 호송차.

[xcvi] 무리를 이룬 많은 섬.

[xcvii] 영국 속어)) 도발(挑發).

[xcviii] 땅의 임자. 자기 땅을 남에게 빌려주고 지대를 받는 사람.

[xcix] (방 하나에) 침실, 부엌, 욕실로 이루어진 공동 주택. 늑단 칸방.

[c] 작달막하고 딱 바라지다.

[ci] 영구어) 남부 유럽 사람. ((이탈리아, 스페인, 포르투갈 태생.)) 흔한 스페인 이름인 'Diego'가 변한 말.

[cii] 농지가 있는 곳에 살지 않는 지주.

[ciii] 외국 유학생이 일반 가정집에 거주한다는 뜻으로의 "홈스테이"란 일본에서 만든 말인데 문법적으로 오류는 없으나 뜻이 명확하지 않아 일본인과 한국인만 그런 뜻으로 씀.

[civ] 조심하거나 어려워하는 마음이나 태도.

[cv] 서양식 식사에서, 수프가 나오기 전에 간단하게 먹는 음식. 전채(前菜).

[cvi] 프랑스)) 작은 정어리, 치즈 따위에 얹은 크래커 또는 빵으로 전채(前菜)의 일종.

[cvii] 프랑스)) 고기, 물고기 따위가 든 고기 반죽으로 전채(前菜)에 속한다.

[cviii] 향초 등으로 가미한 흰 포도주.

[cix] '피시-핑거(fish finger)'를 번역한 조어.

[cx] 생선 요리용 마요네즈 소스의 하나.

[cxi] 술통의 술을 다른 용기에 옮기기.

[cxii] 개인의 방. 개인 서재처럼 혼자 사사로이 쓰는 방.

[cxiii] 나무의 조각.

[cxiv] 책장이나 종이쪽이 바람에 날리지 않도록 누르는 물건. 문

진.

cxv 스튜디오 아파트먼트(studio apartment)의 줄임말로, 방 하나가 집 전체인 일실형 주거. 단칸방.

cxvi 이탈리아어로 'mamma mia!'는 'my mom!'으로 '엄마야!'로 번역된다. 우리말로는 감탄사 '어마!'로 번역하면 정확하다.

cxvii 마라스카 체리로 작고 쓴맛이 나는 야생 버찌의 일종.

cxviii 직무나 신분, 명예를 나타내기 위하여 옷이나 모자 따위에 붙이는 표.

cxix 집집. 한 집 한 집.

cxx 미국 민요나 재즈 따위의 경쾌한 음악의 반주에 쓰이는 현악기의 한 가지. 손가락으로 줄을 뚱겨 연주함.

cxxi [돌발적인 사건 따위를 급히 알리기 위하여] 정기적으로 발간하는 것 이외에 임시로 발간하는 신문 따위의 인쇄물.

cxxii "치킨 필레 롤(chicken fillet roll)"을 우리말로 번역한 조어.

cxxiii 아스픽(aspic)은 '고기-젤리'를 뜻한다.

cxxiv 가운데가 솟아서 불룩하다.

cxxv 실없는(實-) 사람.

cxxvi (어떤 지점에) '탄알이 막을 치듯이 잇달아 많이 날아오는 상태'를 이르는 말.

cxxvii 탄두에 유지나 황 등과 소량의 작약(炸藥)을 넣어 만든 폭탄이나 포탄. [건조물 따위를 불태우는 데 쓰임.]

cxxviii "떡(을) 치다"의 "떡"은 90년대에 생긴 은어인데, 국어-사전 등에서 비속어로도 공식 인정되지 않았다.

cxxix 스코틀랜드 고지의 주민인 하이랜더, 또는 켈트인.

cxxx 원어 "Booger King"에서 'booger'는 '코딱지'이며, "McDung's"에서 'dung'은 '똥'을 뜻한다.

cxxxi '아브라카다브라'의 'a-b-c-d' 순서를 우리말로 'ㄱ-ㄴ-ㄷ-ㄹ'로 표현한 저자의 조어.

cxxxii 여성용 대형 핸드백.

cxxxiii 맵게 한 쇠고기와 채소의 스튜 요리.

cxxxiv 영어식 표기 굴라시(goulash) 원형인 'gulyás'의 헝가리어 발음.

cxxxv 넥타이 매는 방식의 하나로 매듭의 폭이 넓음.

cxxxvi 도와주다.

cxxxvii 내일.

cxxxviii 밑바닥이 평평한 배.

cxxxix 코끼리, 하마 등 피부가 두꺼운 동물.

cxl 그림을 넣은 소형 신문인 타블로이드를 번역한 저자의 조어.

cxli '테러리스트', '테러범'의 우리말.

cxlii (언어상의) 우스운 모순, 모순된 언행으로, 줄임말은 'bull'. '이 편지를 받지 못할 때는 알려 주십시오'라고 하는 따위.

cxliii '하이-엔드(high-end)'는 우리말로 번역하면 '끝내주는' 즉 '최고급의'란 뜻을 지니고 있다.

cxliv 튜닝(tuning).

cxlv 부신(副腎).

cxlvi '헛소리를 지껄이는 멍청이'라는 뜻으로 '아가리' + '싸개'를 합성해 만든 저자의 조어. 원어는 'gobshite'.

cxlvii 쇠잔하고 미약함.

cxlviii 아주 변변하지 못하여 보잘것-없다.

cxlix 영어에서 '골초'를 'chimney(굴뚝)'라고 표현한다. ((굴뚝에서 연기가 피어오르는 모습에서.))

cl 적당함과 부적당함. 알맞음과 알맞지 않음.

cli 정식 재판이 아닌 적법 절차를 건너-뛴 불규칙한 재판.

clii 원문의 영어 'jaundiced'는 '황달(黃疸)에 걸린'이라는 뜻 이외에 '질투가 심한, 편견을 가진'이란 의미도 있는데 이 책에서는 후자로 쓰였다. 'jaudice'의 어원은 'yellow(노랑)'인데 '질투심 많은'의 뜻이 있다.

cliii 아일랜드 속어)) 'gob'은 입, 'shite'는 배설물을 뜻한다.

cliv 집터에 딸리거나 집 가까이 있는 밭.

clv (경멸, 냉소 또는 놀리는 행위로서) 입술 사이에서 혀를 떨어 내는 소리로, 저자가 'raspberry'를 번역해 만든 조어.

clvi 학교의 운동장.

clvii 설사를 하게 하는 약.

clviii 알약.

clix 'miniature mule'의 우리말 번역 조어.

clx 남의 물건을 슬그머니 휘몰아서 제 것으로 가지다.

clxi 일반적으로 지붕이 있는 기다란 복도형 상가.

clxii 지옥.

clxiii 살림이나 세력 따위가 아주 보잘것-없이 찌부러짐. 몰락(沒落).

clxiv 공기 중에서 산화(酸化)하기 쉬운 금속을 통틀어 이르는 말.

clxv [한낮에 꾸는 꿈이란 뜻으로] '헛된 공상'을 비유하여 이르는 말.

clxvi 미국의 황량한 벌판에 회전초(tumbleweed)가 휙 지나가는 모습을 연상해 저자가 독자적으로 표현한 문장.

clxvii 우리말 '영계'에는 원래 그런 뜻이 없었으나 미국 속어인 'chick(영계, 젊은 아가씨)'에서 뜻을 가져와 만든 영어 번역-투(飜譯套)의 단어.

^{clxviii} 가톨릭에서, 부제품(副祭品)을 받은 성직자. 사제(司祭)의 아래. 차부제(次副祭)의 위.

^{clxix} 귀머거리와 벙어리.

^{clxx} 음의 유사함을 이용한 언어-유희로 만든 말로 'sperm' 은 '정자(精子)'란 뜻임.

^{clxxi} 재규어 차의 줄임말.

^{clxxii} ((프랑스)) 속에 크림을 넣고 겉에 초콜릿을 뿌린 가늘고 긴 빵.

^{clxxiii} 브라질 대표 칵테일로 브라질산의 럼주, 라임, 설탕으로 만든다.

^{clxxiv} 럼과 코코넛-크림, 파인애플-주스로 만든 칵테일.

^{clxxv} 영국)) 상표명으로 텔레비전용 프롬프터(prompter) 기계.

^{clxxvi} 경외 성서(經外聖書)의 준말로, 전거가 불확실하여 '성 경'에 수록되지 못한 30여 편의 문헌. 위경(僞經).

^{clxxvii} 일반적으로 바람둥이 '카사노바'로 알려진 인물의 본명.

^{clxxviii} 'control freak'을 저자가 우리말로 번역한 것으로 '만사를 자기 맘대로 하려는, 통제 욕구가 강한 사람'.

^{clxxix} 'Janus(야누스)'를 우리말로 표현한 저자의 조어.

^{clxxx} 호방하고 의협심이 강함.

^{clxxxi} 프랑스)) 숙식 제공을 받는 대신 가사를 돕는 사람. [보통 외국 여성으로 그 나라 말 배우기를 목적으로 함.]

^{clxxxii} 엉뚱한 욕심을 품고 분수 밖의 짓을 하려는 태도가 있다.

^{clxxxiii} 임금의 자리를 물려줌.

^{clxxxiv} 비속어)) 'trophy wife'를 번역한 저자의 조어로, 부유하고 나이 있는 남자의 젊고 매력적인 아내로 보통 남성의 높은 사회적 신분의 상징을 뜻한다.

^{clxxxv} 영속어)) 마리화나의 꽃봉오리.

^{clxxxvi} 고급 멕시코산 마리화나의 일종.

^{clxxxvii} 앞뒤 어느 쪽에서 읽어도 똑같은 말.

^{clxxxviii} '눌변(訥辯)'이란 '더듬거리는 말솜씨'를 뜻하며, "눌변가"는 이 책의 조어.

^{clxxxix} 'dead-end job'이란 더 이상 발전 가능성이 없는 직업을 뜻하며, 이 책에서는 "막장-업"이라는, 저자가 만든 단어를 써서 번역하였다.

^{cxc} 저자는 'oboe'의 어원이 'high + wood'이란 점을 알고 의도적으로 목관 악기 중 이를 선택했다.

^{cxci} 작은 배.

^{cxcii} 다운-재킷(down jacket)의 우리말 번역 조어.

^{cxciii} 여러 갈래로 땋은 머리. 머리의 타래.

^{cxciv} '섹스 상대의 여자'를 지칭하는 비어인 '비버(beaver)'를 번역한 조어.

^{cxcv} 'buzzard'가 '말똥가리' 외에 '멍청이'란 뜻을 지니고 있는데 이 문장에서는 후자의 표현으로 썼고 '말똥-'과 '-머리'를 합해 만든 조어.

^{cxcvi} 은밀한 정탐꾼. 몰래 살피는 첩자. 스파이.

^{cxcvii} 토론에서 양쪽 파로 갈릴 만큼 강력한 분쟁을 일으켜 논란이 되는 쟁점.

^{cxcviii} 장래 발굴될 것을 예상하고 현재의 기물, 기록 등을 넣어 땅-속에 묻는 용기.

^{cxcix} 'doofus'에서 '귀머-거리'와 '얼간-이'를 합쳐 만든 저자의 조어.

^{cc} 정치상의 의견. 정치에 관한 식견.

^{cci} 한때 유행어인 "찌찌뽕"은 영어의 'jinx(징스)'에서 온 말로 추정된다.

^{ccii} "bagoon"은 영문판 '로투스'에서 저자가 'baboon(개코원숭이)'과 'goon(용역 폭력패)'을 합성해 만든 영문 조어다. 이를 번역판에서는 "원숭-치"라고 표현하였으며 역시 저자의 우리말 조어다.

[cciii] (업신여기거나 더럽게 생각하여) 침을 뱉듯이 버리고 돌아보지 않음.

[cciv] 경찰을 사칭(詐稱)한 자가 저지른, 2011년 노르웨이 테러.

[ccv] 경범죄에 가하는 재산형으로 벌금보다 가볍다.

[ccvi] 군중 속이나 광장 등 탁 트인 공간에서 까닭 없이 두려움을 느끼는 증상.

[ccvii] 원작 조어인 "ape-ople"은 'ape' + 'people'로서, '따라쟁이'란 뜻으로 썼고, 이를 우리말에 응용하여 '따라' + '사람'으로 합성해 '따람'이라고 표현했음.

[ccviii] 노래와 춤을 섞은 풍자적인 통속 희극.

[ccix] 역경에 빠짐. 척락.

[ccx] 부와 탐욕의 악신.

[ccxi] 요로(YOLO).

[ccxii] 카르페디엠(carpe diem).